Le livre pour ne plus
s'emmerder aux
TOILETTES

© City Editions 2012

ISBN : 978-2-8246-0173-1
Code Hachette : 50 9640 9

Couverture : Studio City / Shutterstock
Rayon : Humour
Collection dirigée par Christian English & Frédéric Thibaud

Catalogue et manuscrits : www.city-editions.com

Dépôt légal : deuxième trimestre 2012
Imprimé dans la C.E.E. par France Quercy - Mercuès - N° 20994

Le livre pour ne plus s'emmerder aux TOILETTES

Sébastien Lebrun

City

Introduction

Il n'y a rien de plus chiant que de s'emmerder aux toilettes, surtout quand l'heure tourne et que, comme Sainte Anne, on ne voit toujours rien venir...

Pour que ce rituel ne soit plus un moment de déprime, de désespoir, nous vous proposons dans ce livre de quoi passer le temps et vous divertir.

Alors, installez-vous le plus confortablement possible et laissez-vous aller...

Jeux, blagues, histoires insolites et citations déjantées sauront vous faire passer un bon moment et vous redonner le sourire. Vous allez devenir accro aux toilettes et incollable sur ce monde fascinant !

Amusez-vous bien !

Pour rire

Quel est le seul instrument à vent à une seule corde ?
Le string !

Insolite

À la marge

97,5 % des personnes interrogées déclarent se laver les mains « systématiquement » ou « souvent » après être allées aux toilettes. Espérons ne pas connaître les 2,5 % restants...

****

Tri sélectif

❶ BIÈRE   ❷ PASTIS   ❸ RHUM   ❹ VIN

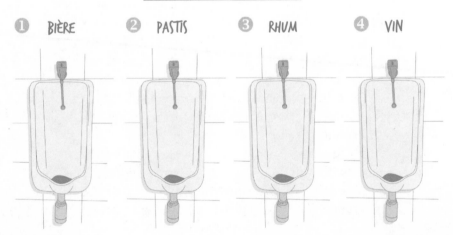

Pour rire

Un médecin demande
à l'une de ses
patientes blondes :
— Pourquoi
mettez-vous
de l'insecticide dans
vos chaussures ?
— Parce que j'ai des
fourmis dans les
pieds !

Pour rire

Sur la tour Eiffel,
une dame demande
à un gardien :
— Les gens se jettent
souvent d'en haut ?
— Oh non, madame !
Une seule fois.

Pour rire

Sous la douche après un match
de tennis, un homme remarque
que son adversaire a un
énorme bouchon enfoncé
entre les fesses.
— Dis donc, t'as vu ?
T'as un bouchon coincé
dans les fesses !
— Oui, oui, je sais, répond
l'autre en soupirant
gauchement. Avant-hier, je
m'étais engueulé avec ma
femme et je suis sorti faire
une balade pour me calmer. En
marchant, j'ai machinalement
mis un coup de pied dans une
vieille lampe à l'huile toute
rouillée.
— Et alors ?
— Alors un drôle de type en
est sorti et s'est mis à crier :
« Bonjour, je suis Léon le
génie… tu m'as libéré…
je t'accorde trois vœux »
— Et alors ?
— Alors j'ai répondu :
« Me fais pas chier ! »

Pour rire

Un homme est chez son dentiste pour se faire arracher une molaire. À l'issue de l'opération, il tâte sa bouche et dit :
— Mais vous en avez arraché deux ! Et pas une n'est la bonne !
— Du calme. Je me rapproche.

Dans un laboratoire, deux cochons d'Inde discutent dans leur cage :
— Ça y est, je suis arrivé à dresser le professeur. Chaque fois que j'appuie sur ce bouton, il m'apporte un bout de fromage.

2100
avant Jésus-Christ

C'est à cette époque que les toilettes « assises » ont fait leur apparition en Égypte.

Insolite
Théorie Des vents

Manger trop rapidement, mâcher du chewing-gum et respirer anormalement, multiplient le volume des pets par 3 ou 4.

8

Insolite

À l'amende

Singapour devient un état hyper réglementé et les mouvements des habitants sont surveillés de près. Les amendes sanctionnant les incivilités foisonnent.

Par exemple, les usagers qui oublient de tirer la chasse dans les vespasiennes se voient infliger une belle amende. Big Brother s'est invité jusque dans les toilettes !

Contrepet

C'est les sels de la mer.

Les selles, c'est la merde.

Les pauvres ont si peu de chance que si la merde valait de l'or, ils viendraient au monde sans trou du cul.

Jorge Amado

Pour rire

Un policier fait une enquête de terrain pour trouver d'éventuels témoins d'un meurtre. Il toque à une première porte :
— Police, pourriez-vous m'aider ?
— Vous n'aviez qu'à travailler à l'école !

Un bricoleur du dimanche voit s'arrêter un gros camion devant sa porte. Deux hommes en sortent un énorme tronc d'arbre et une hache.
— Qu'est-ce que c'est que ça ?
— La bibliothèque à faire vous-même que vous nous aviez commandée.

les 10 commandements des Toilettes
Règles D'or

1. Ce lieu tu respecteras.

2. De station prolongée tu ne feras.

3. Pas à côté tu ne viseras.

4. De gros bouquins tu emporteras.

5. Du bon papier tu utiliseras.

6. Mais une seule feuille à la fois tu prendras.

7. La chasse d'eau toujours tu tireras.

8. En sortant la fenêtre tu ouvriras.

9. Et un parfum tu dispenseras.

10. Si le besoin s'en fait sentir, y revenir tu devras.

Pour rire

Un Parisien qui se rend sur la Côte s'arrête dans une station-service et demande au pompiste :
— Quand vous aurez fait le plein, pouvez-vous vérifier les pneus ?
Le pompiste remplit le réservoir, puis fait le tour du véhicule et dit :
— Un, deux, trois, quatre. Vous pouvez y aller sans risque : ils sont tous là !

***

Un Américain et un touriste italien discutent sur le port de New York.
— Moi, dit l'Américain, tu me donnes deux plaques d'acier et je te construis un bateau pour que tu rentres au pays.
— Et moi, dit l'Italien, tu me donnes ta sœur et je te fais l'équipage !

10 litres

C'est la quantité de gaz produits quotidiennement par le gros intestin. Heureusement, la plupart sont absorbés par les parois intestinales. Le reste, soit 1 litre environ, est expulsé par l'organisme.

Pour rire

– QU'EST-CE QUE TU FAIS ?
– J'ÉCRIS UNE LETTRE.
– À QUI ?
– À MOI.
– ET QU'EST-CE QUE TU RACONTES ?
– JE NE SAIS PAS. JE NE L'AI PAS ENCORE REÇUE.

C'est une blonde qui entre dans un bar. Elle approche le barman et timidement lui demande :
— Où sont vos toilettes ?
Le barman lui répond :
— De l'autre côté.
Alors la blonde s'approche de son autre oreille et lui murmure :
— Où sont vos toilettes ?

Pour rire

Au restaurant, un client s'écrie :
— Garçon ! Il y a une mouche qui nage dans mon assiette !
— Oh ! répond le garçon. C'est encore le chef qui a mis trop de potage. D'habitude, elles marchent sur le bord de l'assiette.

****

Insolite

Portes ouvertes

Dans une petite ville du nord du Canada, la tradition veut que les habitants laissent leurs portes de voiture et de maison ouvertes lorsqu'ils s'absentent. Ce n'est pas une marque de confiance dans les voisins, mais simplement pour permettre aux habitants de trouver un refuge en cas de rencontre surprise avec… un ours polaire. En effet, plus d'un millier d'ours viennent l'été poser leurs valises dans les alentours de cette charmante bourgade !

Pour rire

Un médecin reçoit les résultats des analyses de son patient et lui dit :
— Je vais vous faire hospitaliser.
— Je ne sais pas, docteur. Les frais d'hospitalisation m'inquiètent. Je crains de ne pas avoir les moyens.
— Ne vous en faites pas pour ça ! Ce sont vos héritiers qui paieront.

***

Dans un bar, un homme aborde deux femmes entre deux âges.
— C'est incroyable comme vous vous ressemblez énormément. Êtes-vous jumelles ?
— Non, mais nous avons le même chirurgien esthétique.

Insolite

calcul

L'empereur Rodolphe II de Habsbourg aimait s'entourer de scientifiques et d'artistes, notamment l'astronome danois Tycho Brahé. Lors d'un trajet avec l'empereur, le célèbre astronome est pris d'une envie pressante, mais n'ose demander à Rodolphe II d'arrêter le carrosse pour lui permettre de se soulager. Selon la légende, cette trop grande timidité lui sera fatale et il décède quelques heures plus tard d'un calcul rénal lié à la rétention d'urine. À moins qu'il ait été empoisonné… Mystère.

Pour rire

Une petite fille s'exclame fièrement, en s'adressant à sa mère :
— Maman, je vais me marier !
— Ah bon ! Et avec qui ? demande sa mère en souriant.
— Avec grand-père !
— Allons, tu ne peux pas épouser mon père.
— Toi, tu as bien épousé le mien !

Dans un hôpital psychiatrique, un patient arrose des fleurs. Un médecin passe et lui dit :
— Mais il n'y a pas d'eau dans votre arrosoir.
— Vous êtes fou ? Vous ne voyez pas que les fleurs sont en plastique ?

Insolite

Politesse

En Islande, au XVIIe siècle, il était très très mal vu de se lever de table en plein milieu du repas, quelle qu'en soit la raison.
Pour permettre aux gens de pouvoir se soulager malgré tout, une jeune fille attendait un signe des convives pour leur passer discrètement un pot sous la table. Pendant que la personne faisait son affaire, les autres convives avaient pour mission de rivaliser de rires et de grognements en tout genre pour qu'aucun bruit gênant ne vienne troubler le repas. Ah, les bonnes manières…

Insolite

Bébé sauve Bébé

Une husky a sauvé un
nouveau-né de la noyade
à Taïwan. "Bébé" a récupéré
l'enfant avec sa gueule dans
la cuvette des toilettes
où la mère venait d'accoucher
avant s'évanouir. La mère
et le garçonnet sont
en bonne santé !

Pour rire

Un homme arrive
chez le médecin.
— Bonjour, docteur !
Je m'inquiète pour
ma santé. Je vis
seul dans un pavillon
de Deauville et je
me sens très mal.
Depuis quelques
semaines, j'ai perdu
20 kg, j'ai de la fièvre
en permanence et je
peine à me déplacer.
Est-ce que
c'est grave ?
Sans répondre, le
praticien décroche
son téléphone :
— Un instant.
Philippe ? C'est
Patrick. Tu cherches
toujours une maison
à Deauville ?

Pour rire

Dans un asile,
deux fous se
prennent le bec.
— Mon psychanalyste
est cent fois meilleur
que le tien, et son
divan ne vient pas
de chez IKEA !
— Tu rigoles ! Le mien
est tellement bon qu'il
serait capable
de guérir le tien !

***

Un fou neurasthénique
effeuille une fleur
dans le jardin de l'asile
en pensant à la jolie
infirmière qui
s'occupe de lui :
— Elle ne m'aime pas,
elle ne me supporte pas,
elle m'exècre,
elle me hait...

Contrepet

Tu sais que, là, ça
disparaît souvent.

C'est que la pisse
des rats, souvent,
ça tue !

Insolite

Mélomane

Tout le monde pète
mais le son des prouts
peut être très différent.
Les pets peuvent être
graves ou aigus, c'est
juste une question de
maîtrise des muscles
de son anus : si on les
contracte, le pet sera
aigu, si on les relâche,
ils seront graves !

Pour rire

Toto fait sa lettre
au Père Noël :
*Petit Papa Noël, merci
de m'envoyer une
petite sœur.*
La réponse arrive
quelques jours
plus tard :
*Pas de problème pour
la petite sœur. Envoie-
moi ta mère.*

Dans une cour d'école,
trois enfants parlent
de leurs pères :
— Moi, mon père, il a
une Ferrari qui fonce à
250 km/h.
— Ouais, et moi, mon
père, il a un jet privé qui
fonce à 1 000 km/h.
— Moi, mon père, il a
un vélo, il travaille aux
postes, et quand il a fini
à 17 heures, il est à la
maison à 16 h 30.

✶✶

*Il n'existe pas de zone maudite.
Plus le sujet est humble, plus il est
intéressant de l'ennoblir.*
Philippe Starck, designer

Pour rire

Dans la rue, un passant s'approche d'un enfant qui pleure à chaudes larmes.
— Alors, petit, quel est ton problème ?
— J'ai très envie de faire pipi, mais j'y arrive pas !
— Pourquoi ?
— J'ai besoin qu'on me raconte une histoire pour que j'y arrive.
L'homme est un peu surpris, mais décide de rendre service au gamin et commence à raconter une histoire. L'enfant continue pourtant de pleurer.
— Qu'est-ce qui ne va pas avec mon histoire ?
— Elle me fait chier !

Contrepet

Et dans tous les cas, faut faire des sélections.

Tous ces fions serrés défèquent dans l'eau qu'est là.

Insolite

Toilettes De luxe

À l'époque où il sortait avec J-Lo, l'acteur Ben Affleck lui a offert une lunette de toilette sertie de saphirs, de rubis, de perles et de diamants, pour une somme de 105 000 €.
« Elle mérite le meilleur même lorsqu'il s'agit d'aller aux toilettes »...

Insolite

RAPIDO

Au Japon, les écoles ne rigolent pas avec la discipline. Les règlements sont souvent précis et contraignants : nature des uniformes et sous-vêtements imposés, interdiction des cheveux teints etc.
Depuis peu, une nouvelle réglementation s'attaque à un vrai problème de société : le comportement des élèves aux toilettes. Dans plusieurs établissements, le temps passé au petit coin est désormais limité à sept minutes maximum ainsi que la quantité de papier. Les élèves ont intérêt à ne pas être constipés…

Insolite

Enfer

La ville américaine de Centralia brûle à petit feu depuis près de cinquante ans. En effet, en 1962, un incendie se déclara dans la galerie abandonnée d'une importante mine de charbon. Malgré les multiples interventions des pompiers, le feu souterrain se révèle impossible à éteindre. Les spécialistes lui promettent une durée de vie supérieure à deux cent cinquante ans. Dans cette ville abandonnée depuis 1982, seule la fumée s'échappant de fissures rappelle la présence du feu.

Pour rire

Une jeune femme entre en pleurant dans un poste de police.
— J'ai... j'ai été violée par un Belge, gémit-elle pitoyablement.
— Comment savez-vous que c'était un Belge ? lui demande un inspecteur.
— Parce que j'ai dû l'aider !

Un homme va chez le dentiste. Il s'installe dans le fauteuil, puis ouvre la bouche :
— Mais, toutes vos dents sont en or ! s'exclame le dentiste.
— Oui, justement, je viens vous demander de poser une alarme.

5 kg

C'est notre consommation de papier toilette par personne et par an, tous âges et sexes confondus.

Pour rire

TUER SON PÈRE,
C'EST UN PARRICIDE.
TUER SA MÈRE,
C'EST UN MATRICIDE.
TUER SA BELLE-MÈRE,
C'EST UN PESTICIDE.

****

Insolite

Les requins de TF1

La prochaine fois que vous regardez le 20 heures de TF1, écoutez attentivement le générique, vous reconnaîtrez une partie de la mélodie, ralentie et transformée, du film *Les Dents de la mer*. Souvent les infos font froid dans le dos !

Insolite

L'alchimiste

Depuis des siècles, les hommes recherchent le procédé miracle qui permet de fabriquer de l'or. Plus récemment, le Britannique Paul Moran s'inscrit dans cette tradition. Sa technique ? Placer ses excréments sur un chauffage électrique ! Évidemment, le résultat n'a pas été celui escompté, il a plutôt réussi à mettre le feu à une partie de son immeuble et à être condamné à trois mois de prison et 3 000 livres d'amende. Il semblerait que l'abus de drogue ait désorienté cet alchimiste moderne. Et si la bière philosophale permettait de pisser des paillettes d'or ?

Pour rire

Un sergent demande à une sentinelle :
— Si vous êtes à votre poste et que vous voyez un homme ramper vers vous, que faites-vous ?
— Je lui enlève la bouteille des mains et je raccompagne notre adjudant dans sa chambre.

***

Un homme à longue barbe blanche consulte un psychiatre.
— Je ne connais pas encore vos problèmes. Alors, commencez par le commencement !
— Au commencement, je créai le ciel et la terre...

Labyrinthe

Retrouvez à quel enfant correspond chaque cerf-volant.

Solutions : A3 / B2 / C1 / D5 / E4.

Pour rire

Un soldat vient se plaindre de ses bottes L'intendant lui dit :
— Mon vieux, les bottes qu'on vous a données ne peuvent pas être trop étroites. Ce sont vos pieds qui ne sont pas réglementaires.

Insolite

Arme

L'armée américaine travaille activement à une nouvelle arme terri(fiente) : la boule puante. Son odeur serait suffisamment forte pour disperser des émeutiers ou même des troupes militaires ennemies. Cette mixture de molécules malodorantes présenterait donc l'avantage de neutraliser des fauteurs de troubles sans provoquer de blessures. Selon le porte-parole du Pentagone « cela conférerait une capacité offensive contre de vastes groupes qui refusent de bouger ou se comportent de façon hostile, tout en minimisant les risques pour nos unités et leurs adversaires. » Ce n'est pas la première expérience de ce type. Pendant la Seconde Guerre mondiale, les militaires avaient inventé un parfum censé humilier les officiers allemands imprégnés d'une odeur aussi nauséabonde que difficile à enlever. La guerre des odeurs a commencé !

90 %

C'est le pourcentage d'excréments encore réutilisés en Chine de nos jours, notamment dans l'agriculture.

Pour rire

Aux dernières nouvelles, la ville natale du petit Grégory, Lépanges-sur-Vologne, va être rebaptisée. Son nouveau nom sera Noisy-le-Petit.

Petites méditations

Quand les sourds et muets se disent des secrets, est-ce qu'ils portent des moufles ?

***

Pourquoi les prunes noires sont-elles rouges quand elles sont vertes ?

***

Pourquoi n'y a-t-il pas de nourriture pour chat avec goût de souris ?

***

Pourquoi « Abréviation » est-il un mot si long ?

Pour rire

Dans les toilettes des hommes, deux collègues urinent côte à côte. L'un jette un œil à son voisin et remarque qu'il a un sexe énorme.
— Dis-moi, Alexis, comment tu fais pour en avoir une si grosse ?
— C'est simple. Chaque soir, avant d'aller me coucher, je la frappe trois fois sur le pied du lit. Ça la maintient en forme. Le soir même, l'homme rentre chez lui et, alors que sa femme est déjà couchée, il frappe son sexe trois fois sur le pied du lit. Sa femme sursaute :
— C'est toi, Alexis ?

Contrepet

Il mangeait bien des macarons au café.

Oh ! mais Jean il fait des cacas bien marron !

Pour rire

Deux enseignants discutent en salle des profs :
— En vingt ans de carrière, personne ne remarque vos larmes, personne ne remarque votre peine, personne ne remarque votre sourire. Mais pète juste une fois...

Petites méditations

Si on demande à un chauffeur de taxi de reculer jusqu'à la destination… quand on est arrivé, est-ce lui qui nous doit de l'argent ?

***

Si on téléphone à une voyante et qu'elle ne décroche pas AVANT la première sonnerie, peut-on vraiment dire que c'est une voyante ?

***

Si on veut qu'un dentier ait l'air vraiment naturel, faut-il mettre des broches dessus ?

Insolite
Art contempo... rein

Un Ukrainien visite tranquillement un musée de Kiev quand une envie pressante le pousse à trouver des toilettes au plus vite. Il trouve des W.-C. où soulager sa vessie… Petit problème : l'exposition qu'il visite est dédiée… aux toilettes et notre Ukrainien a confondu les pièces présentées de l'exposition et les vraies toilettes. Marcel Duchamp aurait sans doute apprécié la performance.

Insolite

Porte-Bonheur

Dans les métiers du spectacle, la coutume veut qu'on se dise *merde* pour se souhaiter bonne chance.
L'origine remonte à l'époque où l'on se déplaçait en fiacre pour aller au théâtre. Plus de cochers stationnaient devant l'entrée, plus de crottin s'y accumulait. On associait donc le succès d'une pièce à l'importance des excréments devant la salle.
Et si les comédiens tombaient dedans à la sortie, ils étaient doublement chanceux ?

Qu'heureux est le mortel
qui du monde ignoré
Vit content de lui-même
en un coin retiré
Nicolas Boileau

Insolite

Dot

Une Indienne a reçu 10 000 dollars d'une organisation non gouvernementale pour avoir quitté le foyer conjugal quelques jours après son mariage. La raison ?

La maison du marié était dépourvue de toilettes. La jeune épouse n'est revenue au foyer conjugal qu'une fois les toilettes construites avec l'aide des autorités du district. Y a un minimum, quand même !

Pour rire

Deux cannibales, un père et son fils, aperçoivent dans les airs un avion à réaction qui passe au-dessus d'eux.
Le petit cannibale demande à son père :
— C'est quoi, ça ?
— C'est un avion, mon fils.
— Et c'est quoi, un avion ?
— C'est comme une noix de coco. Il faut attendre qu'il mûrisse et tombe, et il n'y a que l'intérieur qui se mange !

30

C'est le nombre de pets sonores produits en une heure.

Insolite

Divin Mozart

Musicien et compositeur de génie, Mozart est moins connu pour sa correspondance abondante et son petit côté scato. Voici une lettre envoyée à sa cousine : « Je vous souhaite maintenant une bonne nuit, pétez que cela craque ; dormez bien, étirez le cul jusqu'à la bouche, je m'en vais au lit dormir un peu. [...] Portez-vous bien entre-temps, ah mon cul me brûle comme du feu ! Que signifie donc cela ? Peut-être une crotte veut-elle sortir ? Oui, oui, crotte, je te connais, je te vois, je te sens et qu'est-ce ? Est-ce possible ! Dieux ! Oreille ne me trompes-tu pas ? Non, c'est bien ça, quel son, long et triste ! » Vous ne préférez pas *La Flûte enchantée* ?

Insolite

Le saviez-vous ?

Pourquoi les femmes doivent-elles constamment aller faire pipi ? Trajet en voiture, shopping, visite de musée, impossible d'échapper à la question : « Où sont les toilettes ? ». Les femmes urinent effectivement plus souvent que les hommes. Ce n'est pas parce qu'elles boivent plus et la taille de leur vessie est sensiblement la même, environ 400 ml. Mais chez l'homme l'envie d'uriner se manifeste à mi-remplissage alors que chez la femme, la vessie est plus sensible et se signale à un tiers de sa contenance. En pratique, les femmes pourraient donc se retenir aussi longtemps que les hommes. Dommage pour la pause...

Contrepet

Chacun sait que son pedigree est étonnant.

Chacun sait que tes pets sont gris et détonants.

Pour rire

Un milliardaire russe en vacances à Paris pisse par-dessus un pont. Un agent de police arrive et lui dit :
— Monsieur, c'est interdit : je vous colle une amende de 20 euros. Mais le Russe n'a qu'un billet de 50 euros. Il s'approche de son chauffeur et lui ordonne :
— Descendez et pissez aussi par-dessus le pont.

La bonne ombre

Quelle ombre en miroir est celle du guitariste ?

Solution : l'image N°6.

35

Pour rire

Un fou entre dans un magasin et demande au commerçant :
— Je voudrais du papier toilette.
Le commerçant demande :
— Du rose ou du blanc ?
Le fou répond :
— Du rose, c'est moins salissant...

Pour rire

Qu'est-ce qu'on donne à un sumo qui a la diarrhée ? Beaucoup, mais alors beaucoup de place !

✦✦✦

Insolite

PÉCHÉ CAPITAL

Selon un cheikh salafiste, uriner debout est un péché qui peut valoir les pires tourments dans l'au-delà. Dans son émission « Le paradis par le petit écran », le prédicateur Hussein évoque avec le plus grand sérieux cette question vitale. Après une lecture minutieuse du Coran, Il démontre que le Prophète n'a uriné qu'une seule fois debout, contraint par les circonstances. Cette idée risque de faire plaisir aux femmes qui en ont marre que leur conjoint ne rabatte jamais la lunette des W.-C. !

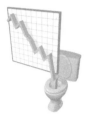

85
euros

C'est l'argent
que la chasse
d'eau à double
débit permet
d'économiser.

Pour rire

Le juge demande
à un homme accusé
d'avoir tué ses
parents :
— Qu'avez-vous à dire
pour votre défense ?
L'accusé :
— Vous n'allez pas
condamner un pauvre
orphelin ?

Petites méditations

Les tournevis pour les vis
plus petites… pourquoi
la poignée est-elle plus
petite ? Nos mains gardent
la même taille pourtant.

***

On dit que seulement
dix personnes au monde
comprenaient Einstein.
Je comprends mieux
pourquoi personne
ne me comprend.

***

Pourquoi « séparé »
s'écrit-il en un mot, alors
que « tous ensemble »
s'écrit en deux mots ?

Insolite

Dernier Pipi

Un touriste a trouvé la mort après avoir uriné sur un rail électrifié de la gare de Vauxhall à Londres. Cet instituteur polonais ignorait que certaines lignes du chemin de fer anglais sont directement électrifiées au sol, et non pas par des câbles aériens comme en France.

Contrepet

Mais qui a mis ses Scholl à ses pieds ?

Ah ! mais c'est Paul qui s'est mis à chier !

Pour rire

C'est fou, un de mes copains vient de se faire renverser par une voiture ; il paraît qu'il a fait plusieurs tonneaux ! Il s'en sort, mais de justesse !
— Mince ! Comment il s'appelle ?
— Prksziaczkbrowsky.
— Oui, mais, avant l'accident, comment s'appelait-il ?

Pour rire

Deux hommes à bout de forces errent depuis plusieurs jours dans le désert. L'espoir semble revenir quand ils aperçoivent une pancarte qui semble surgir de nulle part.
— Mon Dieu, regarde ! C'est incroyable. La pancarte indique de l'eau à un kilomètre !
Son compagnon, dépité, complète :
— ... de profondeur !

Un type demande à un avocat.
— Quels sont vos tarifs ?
— Mille euros pour deux questions. Quelle est votre deuxième question ?

Insolite
AiDer la science

En Inde, un programme de l'État propose de payer les habitants pour aller aux toilettes publiques. L'intérêt est double : encourager les gens à améliorer les conditions d'hygiène et collecter de l'urine pour la recherche, afin de tester ses capacités fertilisantes. Une initiative qui a fait sourire les Indiens avant de connaître un véritable engouement populaire. On voit désormais fleurir de longues files d'attente devant les latrines.

Insolite

Bio

Dans *Les Misérables*, Victor Hugo milite pour l'utilisation des excréments comme engrais :
« La science, après avoir longtemps tâtonné, sait aujourd'hui que le plus fécondant et le plus efficace des engrais, c'est l'engrais humain. Les Chinois, disons-le à notre honte, le savaient avant nous. Pas un paysan chinois ne va à la ville sans rapporter deux seaux pleins de ce que nous nommons immondices. Grâce à l'engrais humain, la terre en Chine est encore aussi jeune qu'au temps d'Abraham. Le froment chinois rend jusqu'à cent vingt fois la semence. Il n'est aucun guano comparable en fertilité aux détritus d'une capitale. Employer la ville à fumer la plaine, ce serait une réussite certaine. Si notre or est fumier, en revanche, notre fumier est or. »

Contrepet

Ah ! ça, elle se mettait quand même les pieds au chaud !

Lassée, elle se mettait quand même à chier au pot !

5

Les hommes pètent 5 fois plus que les femmes.

Jeu des différences

Trouvez les 8 différences entre les deux images.

Solution page 238.

20 %

C'est le pourcentage moyen de personnes atteintes de constipation dans la population adulte des pays occidentaux, 3 à 5 % le sont de façon chronique.

Pour rire

Une Blonde passe une traditionnelle visite médicale :
— Docteur, on a calculé mon quotient intellectuel, et le résultat est 55. Je ne comprends pas comment c'est possible...
— C'est normal que vous ne compreniez pas...

50 millions

C'est le nombre de boîtes de laxatifs qui sont vendues chaque année en France.

✦✦

Insolite

Recycler, c'est gagner

En France et dans bien des pays, les billets de banque usagés finissent incinérés ou transformés en pâte à papier avant d'être jetés aux ordures. En Ukraine, les autorités ont trouvé une solution plus originale. Des tonnes de billets sont converties en papier toilette. Une pratique qui risque de remettre en question le vieil adage selon lequel « l'argent n'a pas d'odeur ».

Pour rire

Un touriste japonais visite les plus grands musées de Paris avec un de ses amis français.
— C'est incroyable, vous avez toujours *Le Penseur* de Rodin ?
— Oui, c'est une œuvre majeure de l'art français.
— Parce que, chez nous, cela fait longtemps qu'on l'a remplacé par un ordinateur !

Insolite

Effet garanti

La prise de l'île de Malte par Napoléon Bonaparte s'est faite grâce à un pot de chambre. Une femme a eu l'ingénieuse idée de lancer le contenu de son pot de chambre sur le porte-drapeau maltais. Un geste anodin mais à grandes conséquences. Surpris et dégoûté, le porte-drapeau s'agita dans tous les sens et courut se mettre à l'abri. En le suivant comme un seul homme, toute l'armée se débanda dans le plus grand désordre… L'histoire ne dit pas ce que la femme avait mangé pour causer une telle réaction !

Contrepet

C'est important, des photothèques.
Toto défèque, c'est important.

Pour rire

Dans un camping, un type tambourine sur la porte d'une cabine téléphonique occupée par une vieille dame. Un passant s'arrête et lui dit :
— Vous n'avez pas honte ? Laissez cette pauvre vieille téléphoner en paix.
— Vieille ? Quand elle est entrée dans cette cabine, elle était jeune.

Labyrinthe

Aidez chaque dinosaure à retrouver
à quel corps correspond sa tête.

Solution : A7 / B5 / C2 / D3 / E4.

Pour rire

C'est une blonde qui
trouve un billet de 20
euros dans la rue.
Sa copine lui demande :
— Qu'est-ce que tu vas
en faire ?
La blonde lui répond
avec un grand sourire :
— Je vais m'acheter un
portefeuille, comme ça,
je pourrais mettre mon
billet dedans !

Pour rire

Trois petits vieux
discutent sur un banc.
— Moi, dit le premier,
quand je pète, eh ben,
ça s'entend, mais
ça sent pas !
— Eh bien moi, dit le
second, quand je pète, ça
s'entend pas, mais ça sent.
— Ben moi, dit le dernier,
quand je pète, ça sent pas
et ça s'entend pas.
— Ben alors, disent
les deux autres,
pourquoi tu pètes ?

✯✯

Insolite

La Banane

Le venin de l'araignée-banane
est non seulement mortel,
mais a la particularité de
provoquer une très forte
et douloureuse érection
chez les hommes. Des
chercheurs travaillent sur le
fonctionnement de ce venin
pour trouver un remède aux
troubles de l'érection. À noter
qu'il n'y a rien de graveleux
dans le nom de cette araignée
qui vit surtout dans les
régimes de bananes !

Insolite
Pâle copie

Pour rire, le célèbre acteur et réalisateur Charlie Chaplin s'est présenté à un concours de sosies de lui-même en 1915. Venu incognito, il n'a même pas atteint la finale. En vrai, il faisait beaucoup plus petit qu'à l'écran !

Pour rire

Deux blondes gravissent une belle pente en tandem. Arrivées au sommet, l'une des deux dit à l'autre :
— La vache ! J'ai cru qu'on n'y arriverait jamais tant c'était raide.
— T'as raison. Si j'avais pas freiné tout le temps, on risquait de redescendre.

Petites méditations

Pourquoi à chaque fois qu'on se retrouve dans un embouteillage, on décide de changer de voie et on se rend ensuite compte que c'est la voie la plus lente ?

***

Pourquoi quand il pleut on rentre les épaules ? Est-ce qu'on se mouillerait moins ?

***

Pourquoi, quand son clavier d'ordinateur ne fonctionne plus, au démarrage de l'ordinateur c'est écrit « Keyboard error. Press F1 to continue… » ?

47

Contrepet

Mais ce sera quand, la fin du chantier ?

Ça râlait quand Fantin me chiait dessus !

Pour rire

Un homme se présente chez l'oculiste. Celui-ci le fait asseoir et fait défiler devant lui les tableaux de lettres.
— Qu'est-ce qu'il y a d'écrit là ?
— Je ne vois pas.
— Et là ?
— Je ne vois pas.
— Et ici ?
— Je ne vois pas.
— Et cette lettre énorme ?
— Je ne vois pas.
— D'accord. En fait, ce ne sont pas des lunettes qu'il vous faut. C'est un chien.

Insolite

Gamma

Des chercheurs indiens ont trouvé un moyen de réduire les flatulences accompagnant la digestion de plats aux haricots, tels les currys et les salades. L'exposition des légumes secs à de fortes doses de rayons gamma permet de limiter fortement la présence des substances chimiques à l'origine des pets. Et, en les mangeant, on se transforme en Hulk ?

Pour rire

En hiver, un jeune garçon construit un bonhomme de neige avec sa sœur. Il dit :
— Je vais aller chercher une carotte. Sa sœur lui crie alors qu'il s'éloigne :
— Prends-en deux. On va lui faire le nez aussi.

UN JUIF TÉLÉPHONE À SA MÈRE :
— ALLÔ, MAMAN ? COMMENT ÇA VA ?
— ÇA VA BIEN.
— AH ! PARDON, J'AI FAIT UN FAUX NUMÉRO !

Il suffit d'un gramme de merde pour gâcher un kilo de caviar. Un gramme de caviar n'améliore en rien un kilo de merde.
Roland Topor

Pour rire

Un homme se
présente à l'INPI pour
déposer un brevet :
— Bonjour,
je voudrais faire
breveter ma dernière
invention, la machine à
remonter le temps.
— Et quand l'avez-
vous inventée ?
— Dans deux
semaines.

Pour rire

Deux hommes discutent
dans un bar.
— Moi, confie le premier,
je ne crois que la moitié
de ce qu'on me dit.
— Vraiment ? Quelle est
votre profession ?
— Psychanalyste.
— Moi, c'est tout le
contraire : je crois
toujours le double de ce
que l'on me raconte.
— Ah oui ? Et quelle est
donc votre profession ?
— Inspecteur des impôts.

Quand on est dans la merde jusqu'au cou, il ne reste plus qu'à chanter.

Samuel Beckett

Insolite

Tout ça pour ça

En Tasmanie, un homme a été accusé d'avoir attaqué un proche avec une hache… car il n'avait pas trouvé de papier toilette lors de sa visite au petit coin. Nathan Howlett et sa victime étaient ensemble quand ce dernier est allé aux toilettes le plus normalement du monde. S'apercevant qu'il ne reste plus de papier, l'homme demande à Nathan de lui en chercher. Lorsqu'il arrive avec un rouleau, Nathan découvre alors que son ami ne l'a pas attendu et s'est servi d'essuie-tout, et là c'est le drame… Pris de fureur, il se jette sur l'infortuné utilisateur d'essuie-tout et les deux hommes se battent. On ne sait pas pourquoi, mais une femme fait alors irruption avec une hache en main pour les séparer. Howlett s'empare alors de la hache et frappe son ami au mollet, puis à la tête. Le blessé réussit à s'échapper. Ouf ! Quand on vous dit de veiller à l'approvisionnement du précieux papier !

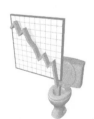

45 %

C'est le pourcentage de personnes qui urinent souvent dans les piscines publiques.

51

Insolite

Vent De Discorde

Alors qu'il dormait aux côtés de sa compagne, un homme a émis une flatulence à l'odeur particulièrement corsée. La femme, incommodée, s'est levée pour ouvrir la fenêtre afin d'aérer. L'homme, touché dans son amour-propre, a vu rouge et a essayé d'étranger (sans succès) sa dulcinée. Il devra suivre un stage de sensibilisation aux violences conjugales. Pour se retenir de péter ?

Pour rire

COMMENT LES PARENTS D'UN PETIT AVEUGLE PUNISSENT-ILS LEUR ENFANT ?
ILS CHANGENT LES MEUBLES DE PLACE.

Une femme qui lit l'horoscope de son magazine féminin préféré dit :
— Comme c'est dommage, vraiment dommage…
— Quoi donc ? demande son mari.
— Si tu étais né un jour plus tard, tu serais intelligent, romantique et bricoleur !

5 fois

C'est le nombre de fois que nous rendons chaque jour visite à nos toilettes (13 % plus de 10 fois, 38 % entre 4 et 10 fois et 49 % moins de 5 fois).

Pour rire

Dans un bar, un vieux boxeur à la gueule abîmée raconte :
— J'ai combattu contre Mike Tyson. Et je peux vous dire que je lui ai même flanqué la frousse. Au deuxième round, il a cru qu'il m'avait tué.

Pour rire

Dans une boîte de nuit, un homme a besoin d'aller aux toilettes. Il entre, referme la porte à clef, baisse son pantalon et s'assoit sur le trône. Affichée en grand sur la porte une énorme photo de femme nue attire son regard. Il s'aperçoit que la photo est truffée de petites étiquettes collées partout sur toutes les parties intimes de la plantureuse pin-up. Quelque chose est écrit sur l'étiquette qui recouvre le sexe, c'est écrit tellement petit qu'il doit s'approcher pour lire. Il se penche en avant afin de lire, mais ne voit toujours rien. Il s'approche encore et lit : « Arrête, si tu continues, tu vas chier à côté du trou... »

Pour rire

Un type va aux toilettes dans un bar. La première cabine étant occupée, il entre alors dans la deuxième. À peine se met-il sur la cuvette qu'il entend :
— Salut !
Comment ça va ?
Surpris, il se dit que c'est un drôle d'endroit pour lier amitié avec quelqu'un, mais bon, on ne choisit pas...
— Euh !!! Ça va, dit-il, embarrassé.
— Qu'est-ce que tu fais de beau ?
— Ben, je fais comme toi... caca...
Et là, il entend :
— Écoute, je te rappelle plus tard, il y a un con à côté qui répond à toutes mes questions !

Contrepet

Et elle vit bien à Cholet, mais de force !

Elle chia bien de volée, mais forcée.

Insolite

crash test

Dans les années 1930, on utilisait des cadavres pour effectuer les crashs tests automobiles. Avec l'arrivée des mannequins, cette pratique s'est réduite, mais reste utilisée pour tester l'impact réel d'un accident sur un humain. Pour s'éviter toute mauvaise publicité, les constructeurs passent par des universités pour effectuer ces tests. Avec des blondes ?

Labyrinthe

En sachant que les WC tournent toujours sur la gauche lorsqu'ils rencontrent du papier toilette, trouvez les deux toilettes qui pourront sortir de la grille.

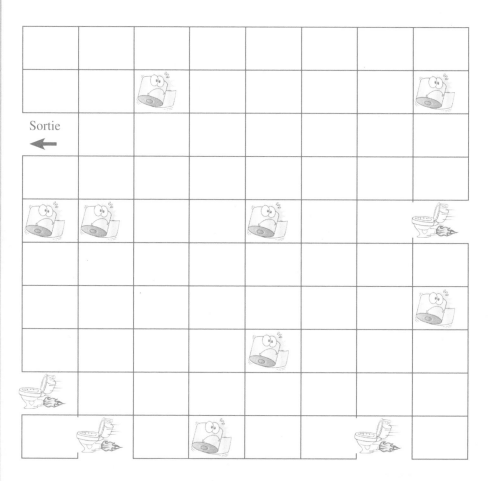

Solution page 238.

55

Contrepet

Ah ! mais Florence
délaissée, tu
l'aidas aussi !

Mais allez, des
rots, c'est des
flatulences aussi !

Insolite

Rolling Stones

Pour les personnes très
patientes, la Vallée de la Mort
offre un spectacle étonnant.
Des rochers se déplacent
silencieusement laissant de
longs sillons derrière eux.
Ce phénomène, appelé
« pierres mouvantes », reste
encore inexpliqué. Pierre qui
roule file la frousse...

☆☆

Pour rire

Dans un bar, un type, taillé
comme une armoire à glace,
demande un citron au
barman, le presse entre ses
mains et lance à la salle :
— Si quelqu'un arrive à
tirer une goutte de plus
de ce citron, je lui offre
100 euros !
Plusieurs personnes
tentent leur chance sans
succès. Puis un type
malingre se présente
devant la brute, prend
le citron entre le pouce
et l'index et le presse.
Une, deux, puis dix
gouttes tombent.
Toute la salle est ébahie.
Le colosse sort 100 euros,
les donne au type
et lui demande :
— Vous faites quoi
dans la vie ?
— Je suis percepteur
des impôts.

Pour rire

Un père se fâche
avec son jeune fils.
— Mais enfin,
qu'est-ce que je dois
faire pour que tu
cesses de jouer avec
les allumettes ?
— Peut-être m'acheter
un briquet.

Petites méditations

Un droitier devrait prêter son stylo à un gaucher de temps en temps pour que la bille ne s'use pas que du même côté, mais personne ne le fait.

***

Une bonne façon d'expliquer à un enfant comment on fait les bébés, c'est de l'amener dans un champ de fleurs en période de pollinisation et d'y trouver un couple en train de faire l'amour.

***

Quand une voiture roule, est-ce que l'air à l'intérieur des pneus tourne ?

Petites méditations

Quand l'homme a découvert que la vache donnait du lait, que cherchait-il exactement à faire à ce moment-là ?

***

Quand on te prend en photo à côté de Mickey, est-ce que l'homme à l'intérieur de Mickey sourit ?

***

Quand quelqu'un cherche ses clefs et qu'il nous demande si tu les as vues, a-t-on le droit de répondre : « Oui, souvent ».

Contrepet

C'est qu'elle a réglé la belle pâtissière de Turin !

La raie de ta belle, quelle glissière à purin c'était !

Insolite

Money

Si le gros billet américain actuel en est celui de 100 dollars, il fut une époque où le trésor américain faisait circuler des billets de 500, 1 000, 5 000 ou même de 10 000 dollars. En 1934, les banques utilisaient même des billets de 100 000 dollars pour leurs échanges. Vous auriez la monnaie ?

Pour rire

Un promeneur passe près d'une ferme. Soudain, il aperçoit un poussin recouvert de merde.

Il le regarde avec étonnement puis continue son chemin. Quelques mètres plus loin, il aperçoit un autre poussin, lui aussi, est couvert de merde. Intrigué, il continue son chemin et aperçoit encore de nombreux poussins, tous couverts de merde. De plus en plus intrigué, il arrive devant la ferme. À ce moment, la porte de la ferme s'ouvre sur le fermier, le pantalon à la main. Devant l'air surpris du promeneur, il demande :

— Vous n'auriez pas du papier toilette, je n'ai plus de poussins !

Pour rire

Sous une pluie battante,
une blonde promène un
landau. Une passante
jette un œil à l'intérieur
et dit :
— Comme il est mignon !
Elle se penche sur
l'enfant pour mieux
le regarder et
s'exclame alors :
— Mais… c'est
une poupée ?!
Et la mère répond :
— Évidemment. Avec un
temps pareil, je n'allais
pas sortir le vrai.

Insolite

Plein gaz !

Un fabricant japonais
de toilettes a inventé
un moyen de transport
écologique : la « Toilet
Bike Neo », qui ne carbure
pas à l'essence mais aux
excréments humains
convertis en biogaz. Une
sorte de croisement entre
une Harley-Davidson à
trois roues et des W.-C.
classiques.
Le siège de la Toilet Bike
Neo, est, bien sûr,
en forme de W.-C. Idéal
pour aller draguer
le samedi soir…

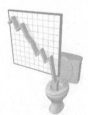

120 000

C'est le nombre de faux étrons produits chaque année
en Europe pour le plus grand bonheur des farceurs,
fétichistes, artistes et déviants sexuels de tout poil.

Insolite

Gazon maudit

Par un beau temps de pluie typique, les Écossais ont inventé un jeu avec une petite balle qu'ils ont intitulé : « *Gentlemen Only, Ladies Forbidden* » (Réservé aux Hommes, Interdit aux Femmes) qui forme l'acronyme G.O.L.F ! Depuis, ce sport a su faire son trou…

Pour rire

*Un jeune soldat aborde une prostituée.
— Bonjour, mademoiselle, accepteriez-vous ma compagnie ?
— Mais bien sûr, mon chou.
— Compagniiie !
En rang par deux !
En avant, marche !*

Contrepet

Ces délices au palais, ça me plaît bien !

Ces pets au lit bien placés me délassent !

Insolite

un virus pour la vie

Pendant la Seconde Guerre mondiale, un médecin polonais a sauvé la vie de 8 000 Juifs en leur inoculant le typhus ! Il leur injectait des bactéries inoffensives, mais qui les rendaient positifs aux tests de dépistage. La région où ils vivaient fut alors mise en quarantaine par les nazis, les Juifs échappant aux camps de la mort.

Pour rire

Que dit une blonde lorsqu'elle voit une crotte de chien sur le trottoir ?
— Je ne dois pas me tromper de pied !

Que fais-tu dans mon cerisier, petit ?
— Je récupère mon cerf-volant, monsieur.
— Mais cela fait un petit moment qu'il est bloqué dans l'arbre. Pourquoi venir que maintenant ?
— Parce que les cerises étaient encore vertes.

Pour rire

Un type veut
s'engager dans
l'armée de l'air et
se présente au
recrutement. Un pilote
examinateur le reçoit
et lui demande :
— Vous savez voler ?
— Pourquoi ? répond
le candidat. Vous
n'avez plus d'avions ?

Pour rire

Un sergent explique
à ses hommes :
— Si vous jetez une pierre
en l'air, elle retombe au sol.
C'est la gravitation !
— Et si elle tombe
dans l'eau ?
— Alors, ça regarde
la marine.

✶✶✶

Insolite

Examen D'urine

Face aux nombreuses tueries qui ont endeuillé les écoles américaines, des détecteurs de métaux et la fouille des élèves sont devenus courants. Plus originale est l'initiative d'un proviseur du New Jersey qui a soumis l'ensemble de ses 500 élèves à… une analyse d'urine ! Une mesure devant permettre de déceler l'usage de drogues hallucinogènes. Les élèves testés positifs (nombreux ?) ont été suivis par des conseillers sociaux, médecins et pédagogues. Les tribunaux ayant finalement jugé l'examen d'urine anticonstitutionnel, l'expérience ne fut pas poursuivie.

Petites méditations

Est-ce que ça serait pas plus simple d'embaucher des ballerines plus grandes ?

***

Est-ce que les employés de chez Nescafé prennent des pauses-café ?

***

Il y a déjà eu des chiens géants sur la terre, mais les seuls indices qu'on en a, ce sont les os de dinosaures qu'ils ont enterrés.

Contrepet

Oh ! Le foie gras dans le Périgord !

Gare aux gros pets foireux dans le lit !

Insolite
Gruyère

Le Laos détient un triste record : c'est le pays le plus bombardé de l'Histoire. Lors de la guerre du Vietnam, pas moins de 260 millions de bombes se sont abattues sur ce petit pays. Un total qui dépasse le nombre d'engins explosifs déversés sur l'ensemble des pays lors de la Seconde Guerre mondiale.

Jeu des différences

Trouvez les 8 différences entre les deux images.

Solution page 238.

Pour rire

LE MARIAGE, C'EST PAS LA MER À BOIRE, C'EST LA BELLE-MÈRE À AVALER.

Pour rire

Un journaliste interviewe un grand artiste de cirque :
— Comment vous est venue l'idée de dresser des éléphants ?
— Eh bien, à l'origine, j'étais dresseur de puces. Mais ma vue baissait.

✶✶✶

Insolite

Le saviez-vous ?

Le mot « méconium » désigne les premières selles de l'enfant produites dans les jours qui suivent la naissance. Le terme vient du grec ancien *mêkônion*, qui signifie « suc de pavot » et qui désigne aussi un extrait sec du pavot contenant le « fiel », substance amère réputée pour sa toxicité et son goût écœurant. Par réflexe, ce « méconium » est expulsé à un rythme intense par les nouveau-nés. C'est beau, un bébé…

Insolite

Pyromanes

Aux États-Unis un fabricant a créé des cigarettes qui s'éteignent toutes seules au bout d'un certain temps. En effet, beaucoup d'Américains ont l'habitude de s'endormir cigarette au bec. Une manie qui cause de nombreux incidents domestiques, parfois mortels.

Pour rire

Alors qu'il se trouve en visite à Paris, un émir tombe malade. Son médecin soupçonne une crise d'appendicite. Aussitôt, l'émir ordonne :
— Allez immédiatement m'acheter un hôpital !

Petites méditations

Si un chat retombe toujours sur ses pattes, et si une tartine beurrée retombe toujours du côté du beurre, que se passe-t-il quand on attache une tartine beurrée sur le dos d'un chat et qu'on les jette par la fenêtre ?

***

Quand c'est écrit « nouveau et amélioré » sur un produit, comment ça peut être amélioré si c'est nouveau ?

***

Quand c'est la saison des touristes, est-ce qu'on a le droit de les tirer au fusil ?

Pour rire

Un condamné à mort va être exécuté. Un gardien lui dit :
— Vous pouvez demander quelque chose qui vous ferait plaisir, un bon repas, un paquet de cigarettes...
— Un verre d'eau, ce serait parfait.
— Un verre d'eau ? Mais vous pouvez prendre un bon verre de vin ou de rhum, profitez-en !
— Ne me tentez pas, j'essaie d'arrêter l'alcool !

Contrepet

Et tu vois, c'est cela, la Picardie !

Tu vois le dard qui pissait çà et là !

Insolite

Vive le célibat

Le mâle de la mante religieuse n'a pas beaucoup de chance : il lui est physiologiquement impossible de copuler tant que sa tête est attachée à son corps. C'est la femelle qui lance les préliminaires en décapitant son infortuné amant, avant une copulation post mortem. Quand l'amour fait perdre la tête...

Pour rire

Un homme dans un restaurant :
— Garçon, il y a une coccinelle dans ma soupe !
Le serveur :
— Je sais, monsieur. Je suis désolé : il ne nous restait plus de mouches...

COMMENT UN MONITEUR DE SKI GARANTIT-IL SES LEÇONS ? SUR FRACTURE.

Insolite

cul-culte

En Angleterre, une cuvette de toilettes provenant de l'ancienne maison de John Lennon a été vendue aux enchères 11 600 euros, soit dix fois l'estimation. L'ancien Beatles avait fait changer ses toilettes et l'un des ouvriers chargés des travaux, décédé récemment, avait conservé la relique. Avait-il anticipé que cet objet vaudrait une petite fortune ? Cela rappelle la phrase de Paul McCartney qui affirmait : « C'est aux toilettes que j'ai composé mes meilleures chansons ».

Pour rire

Un homme dans une Mercedes s'apprête à entrer sur l'autoroute, quand soudain il aperçoit une auto-stoppeuse. Il s'arrête et demande :
— Vous voulez aller où, mademoiselle ?
— Je descends dans le sud vers Marseille. C'est votre route ?
— Oui, vous avez de la chance. Montez.
La fille s'installe dans la voiture qui repart. L'homme fait un grand sourire et dit :
— C'est drôle, vous êtes la cinquième femme enceinte que je prends en stop.
— Mais je ne suis pas enceinte !
— Mais nous ne sommes pas encore arrivés !

Pour rire

Un employé arrive à son bureau. Son chef l'interpelle :
— Dupont, vous n'étiez pas là à 9 heures ce matin !
— Pourquoi, j'ai raté quelque chose ?

Insolite

En Chantant

Hugh Jackman, icône d'Hollywood révélée par son rôle de Serval dans les *X-men*, vient de perdre de son sex-appeal. Il raconte que dans les années 1990, il participait comme chanteur dans la comédie musicale *La Belle et la Bête*. Un soir, avant de rentrer sur scène, il boit une grande quantité d'eau. Mauvaise idée : au milieu d'une chanson il découvre « que les muscles que vous utilisez pour vous retenir d'uriner sont ceux dont vous avez besoin pour chanter. » Un gros pipi pas très glamour pour le viril Serval…

Pour rire

Un notaire aperçoit un homme dans la salle d'attente de son étude.
— En quoi puis-je vous aider ?
— C'est pour l'héritage de mon père.
— Et cela fait longtemps que vous attendez ?
— Plus de trente ans.

Contrepet

Il délaissait cette chasse vraiment bien trop lente. Quel fiasco !

Cette chiasse est vraiment bien collante, il faut qu'elle laisse des traces !

Pour rire

L'air complètement abattu, un homme sirote une bière au comptoir d'un bar.
— Encore des problèmes de femmes, c'est ça ? lui demande le barman.
— On ne peut rien vous cacher ! Je me suis disputé avec ma femme et elle m'a dit qu'elle ne m'adresserait plus la parole pendant quarante jours !
— Et vous buvez pour essayer d'oublier ça…
— Non, c'est pour essayer d'oublier que les quarante jours se terminent ce soir…

Insolite

Soporifiques

Le plus long match de l'histoire de la boxe a duré 7 h 19 minutes et 110 rounds ! En 1893, ce combat opposait Andy Bowen et Jack Burke. L'arbitre dut arrêter le match, faute de combattants, tous deux épuisés. Les rares spectateurs restés dans les tribunes s'étaient, en outre, endormis depuis longtemps.

61 %

C'est le pourcentage de Français qui considèrent les toilettes comme une pièce « importante », certes loin derrière la salle de bains (80 %), mais loin devant l'entrée (43 %).

Pour rire

Dans un bar, un client, après avoir bu un double whisky, en commande un second, puis un troisième. Il dit au barman :
— Avec ce que j'ai, je ne devrais pas boire tout ça.
— Qu'est-ce que vous avez ?
— Un euro.

Pour rire

Un homme entre dans un bar et commande cinq calvas qu'il boit cul sec. Puis il en commande quatre autres et les boit de la même façon. Il en commande encore trois et se les envoie aussitôt. Il s'arrête alors, se concentre un moment et se dit, étonné :
— C'est marrant, moins je bois, plus je suis bourré !

Pour rire

Trois hommes discutent de leurs femmes :
— Hier soir, j'ai fait l'amour trois fois à ma femme, dit le premier. Elle était dans une extase absolue ce matin.
— Hier soir, j'ai fait l'amour à ma femme six fois, dit le second. Ce matin, elle m'a dit qu'elle ne pourrait jamais aimer un autre homme.
Comme le troisième ne dit rien, le premier lui demande :
— Et toi ? Combien de fois tu as fait l'amour à ta femme hier soir ?
— Une seule fois.
— Ah oui ? Et elle a dit quoi ce matin ?
— « Continue, continue. »

Contrepet

Mais ça, les chats m'empêchaient bien souvent de vous voir.

Mais sans savoir, vous, vous lâchez de bien méchants pets !

Insolite
Impérial

L'araignée Napoléon doit son nom au dessin noir sur son abdomen qui rappelle le buste de l'empereur et son bicorne. On l'appelle aussi araignée crabe à cause de sa capacité à marcher rapidement en arrière et sur le côté, ce qui lui permet d'échapper à ses prédateurs. Et de se réfugier à Sainte-Hélène ?

Le Constipomètre

La couleur et l'aspect de votre caca, vous laissent perplexe ?
Le constipomètre vous renseigne !

	Pourquoi s'être levé ce matin ?	Une soirée très arrosée hier !	Allez chercher la serpillière, c'est un vrai carnage !	Vous avez le feu au cul, Attention, ça brûle!
	Il faut vraiment manger plus de fibres	Jetez tout le rouleau de papier après vous être essuyé	Le chili, c'est fini de chez fini !	Un désastre écologique, pire que l'Erika !
	Vous avez toujours le numéro de SOS Médecins ?	Votre estomac n'aime pas les mélanges d'alcool	Un vers squatte vos intestins	Une deuxième chance au tirage ?
	Esthétique mais pas pratique	Vous vous prenez pour Popeye à manger tout le temps épinards	Un grand moment de fierté	Un colombin de la plus belle facture
	Du travail d'artiste. Chapeau bas !	Un magnifique cake parfaitement démoulé	Un Bronze qui vaut de l'or en barre !	Avez-vous un lien de parenté avec Elephant-man ?

Insolite

Anti-Pet

Une société américaine aurait mis définitivement une claque aux mauvaises odeurs grâce à un slip anti-flatulence. Disponibles en modèle homme ou femme, ces sous-vêtements d'un nouveau genre sont une sorte de couche avec des élastiques serrés autour de la taille et des jambes pour éviter que les odeurs s'échappent. Elles sont en outre munies d'un filtre remplaçable. On n'arrête pas le progrès !

Insolite

D'une traite

La danse du fumiste écrit par Paul Emond est un livre qu'on ne peut pas lâcher. Ce n'est pas tant que l'intrigue est captivante, mais il n'est constitué que d'une seule et longue phrase. Elle s'étale sur 166 pages, et se termine par un point d'exclamation ! ! !

Pour rire

Une femme se confie à sa meilleure amie :
— J'ai l'impression que le sexe intéresse de moins en moins mon mari.
— Qu'est-ce qui te fait penser cela ?
— La poussière sur sa collection de *Playboy.*

Pour rire

Un homme surprend sa femme toute nue dans le lit conjugal au beau milieu de la journée.
— N'essaie pas de me raconter des salades ! Je sais que tu étais avec cet homme à qui appartient la Mégane garée en bas. Fou de jalousie, il balance le réfrigérateur sur la Mégane. Au paradis, saint Pierre accueille deux nouveaux pensionnaires. Le premier lui dit :
— J'étais dans ma voiture quand un fou m'a balancé un réfrigérateur dessus. Et le second :
— Moi, j'étais dans le réfrigérateur.

Pour rire

Dans un camp de légionnaires isolé au cœur du Maroc, un nouveau venu est bizuté.
Après plusieurs épreuves vient le dernier test :
— Maintenant, tu prends une chèvre dans l'enclos de Mustapha et tu te la tapes.
La recrue tente de négocier, mais finit par se rendre à l'évidence : il faudra y passer. Il prend une des chèvres et commence à faire son affaire. Les autres légionnaires éclatent de rire en le voyant.
— Qu'est-ce qui se passe ?
— T'as pris la plus moche !

Contrepet

Elle est bien lisse de peau.

Et elle pisse bien de l'eau !

Insolite
Déesse

Voici la légende de la déesse des latrines en Chine, associée traditionnellement aux récoltes. Tsé-Kou Lhen était la concubine d'un notable de province. Elle était la cible de la jalousie de l'épouse légitime de ce dernier. Assassinée dans les toilettes, elle fut prise en pitié par une divinité qui l'éleva au rang de déesse et la consacra donc « Esprit des lieux d'aisance ». Divin !

Pour rire

Un adjudant furieux surgit dans une chambre de soldats après avoir découvert sa chambre mise à sac.
— Si je ne trouve pas les coupables, je les désignerai !

Insolite

Berger de l'anus

Dans l'Égypte antique, la santé du divin pharaon faisait l'objet d'une attention toute particulière. Les médecins faisaient partie de l'élite des fonctionnaires nationaux, au même titre que les chefs militaires, les prêtres et les hauts responsables de l'État. Leur réputation s'étendait jusqu'aux pays étrangers où ils étaient parfois appelés en consultation. Il y avait déjà des ophtalmologistes, des dentistes et des gastro-entérologues. Le « neru phuyt », que l'on traduit par « berger de l'anus » était donc l'ancêtre de notre proctologue actuel.

Pour rire

Un homme qui habite
en forêt demande un
matin à sa femme :
— Tu viens chasser
avec moi ?
— Non, j'ai pas envie.
— Si tu veux rester
ici, soit tu me suces,
soit c'est parti pour
une petite sodomie.
Autrement, tu
m'accompagnes.
La femme se décide
pour la fellation.
Mais elle dit :
— Ça sent la merde !
— Je sais. Le chien
ne voulait pas sortir
non plus.

Insolite

vacances

En Éthiopie, le volcan
de Dallol est un des lieux les
plus chauds de la planète.
Les frileux peuvent espérer
y profiter de températures
supérieures à 60 degrés. Une
véritable carte postale avec
des sources chaudes acides,
des montagnes de soufre ou
encore des geysers gazeux.
Bonnes vacances !

200 g

C'est la quantité de selles qui sont le résidu
de la digestion des aliments après leur
passage dans le système digestif que nous
produisons chaque jour.

Insolite

Pas tout Blanc

Préserver le mont Blanc est devenu un gros besoin. En effet, 25 000 à 30 000 alpinistes se lancent chaque année à l'assaut du toit de l'Europe, laissant des tas d'excréments et de vomi. Pour résoudre le problème, des alpinistes ont donc installé des toilettes sèches.

Mais monter des toilettes au sommet n'a pas été facile, tout comme la gestion des déchets qui doivent être redescendus chaque fin d'été, par hélicoptère. Au final, la note est plutôt salée : ces W.-C. alpins ont coûté la bagatelle de 145 000 euros !

Pour rire

Un petit garçon demande à sa maman :
— Comment naissent les petits garçons ?
— Dans les choux, mon cœur.
— Et ma petite sœur, comment elle est née ?
— Dans une rose.
Quelque temps plus tard, le petit garçon entre dans la chambre de ses parents, les voit en pleine action et dit :
— Alors, on jardine ?

Pour rire

Avant une offensive, deux colonels se concertent.
— Il est temps de synchroniser nos montres. Chez moi, il est midi.
— Chez moi, il est 11 h 58.
— OK, on attend deux minutes.

Insolite

Arme fatale

À la fin du Moyen Âge, à Venise, les complots et conjurations ne manquent pas. Une tentative d'assassinat contre la personne du doge de Venise s'est terminée d'une bien étrange manière. Des femmes de la cité, ayant pris connaissance du complot qui se tramait, se sont précipitées à leur fenêtre pour vider leur pot de chambre sur la tête des infortunés conjurés qui passaient par là et se sont enfuis sans demander leur reste…

Pour rire

Dans un parc, un Belge remarque une femme qui donne le sein à son bébé. Il s'approche et dit :
— Quel beau bébé !
— C'est parce qu'il est exclusivement nourri au lait et au jus d'orange.
— Et lequel des deux donne du jus d'orange ?

Pour rire

Un homme qui passe son temps sur le Net accueille sa femme qui rentre du travail :
— Chérie, j'ai réussi le coup du siècle : j'ai vendu le chien sur Internet.
— Quoi ? Notre chien ?
— Oui, mais le plus beau, c'est que je l'ai vendu un million d'euros.
— Incroyable ! Comment tu as fait ?
— Je l'ai échangé contre deux chats de 500 000 euros.

Pour rire

Quelle est la différence entre le bridge et le sexe ? Au bridge, si on a une bonne main, on n'a pas besoin d'un bon partenaire. Pour le sexe, si on n'a pas un bon partenaire, il faut avoir une bonne main.

Le pet est le plus mauvais des tireurs qui vise au talon et frappe au talon.
Étienne Tabourot, procureur de Louis XIV à Dijon

Petites méditations

Je veux acheter un boomerang neuf. Comment je fais pour me débarrasser de l'ancien ?

***

Jusqu'où les chauves se lavent-ils le visage ?

***

Juste avant de mourir, tout le film de notre vie défile devant nos yeux ; les aveugles, est-ce la bande sonore ?

Contrepet

L'aguicheuse, elle est partout !
Et elle chie partout, la gueuse !

Insolite
MADE in CHina

L'un des symboles de la culture américaine, le ketchup n'a pas été inventé aux États-Unis, mais en Chine. À l'origine, c'est une sauce à base de vinaigre et de poisson appelée Ké-Tsiap. Au XVIIe siècle, les Anglais rapportèrent cet assaisonnement qui fut aussitôt adopté. La mondialisation ne date pas d'aujourd'hui.

Pour rire

Pendant un cours
de musique, le
professeur demande
à une blonde :
— Pouvez-vous me dire
pourquoi on trouve
des touches noires et
des touches blanches
sur un piano ?
— Les touches
blanches sont pour
les mariages et
les noires pour les
enterrements.

Pour rire

Une blonde rentre chez elle
et dit à son compagnon :
— J'ai décidé de
vraiment maigrir.
— Ah bon.
— Tu n'as pas l'air de me
croire, mais je te jure,
cette fois-ci, je vais
y arriver. Je vais même
faire deux régimes
en même temps.
— Pour perdre du poids
plus rapidement ?
— Ben non, pour pouvoir
manger plus.

Insolite

Lunette De Discorde

Quand un divorce se passe mal, on s'écharpe parfois sur tout et n'importe quoi. C'est le cas du couple Hulk et Linda Hogan. Le célèbre catcheur exige que sa future ex-femme lui rende la cuvette des toilettes qu'elle aurait volée lors de son départ du domicile conjugal. Peut-être acceptera-t-elle un échange à l'amiable : cuvette contre chasse d'eau ?

Pour rire

Un homme se promène à
Paris et s'approche d'une
prostituée :
— C'est combien ?
— Cent euros.
— C'est cher. Pour
20 euros, ça ira ?
— Sûrement pas.
Le type s'éloigne.
Deux jours plus tard,
dans un autre quartier,
la prostituée le voit
passer accompagné de son
épouse. Elle lui crie :
— Hé, t'as vu ce que
tu peux te taper pour
20 euros ?

Petites méditations

Les gens qui ont les bras
plus longs sont presbytes
plus vieux.

***

Les modèles réduits, c'est
toujours des cadeaux
populaires, sauf dans les
sex-shops.

***

Les personnages de dessin
animé n'ont jamais de
narines : c'est normal, ils
n'ont que quatre doigts.

***

Les sourds quand ils pètent,
est-ce qu'ils savent que ça
fait du bruit ?

Pour rire

Pendant ses vacances d'été, un jeune homme a trouvé un petit boulot dans un supermarché du coin. Au début de sa première journée, le directeur du magasin l'accueille, lui donne un balai et dit :
— Tu vas commencer par balayer toute l'entrée.
— Mais… J'ai quand même obtenu une licence à l'université ! rétorque le jeune homme.
— Oh ! pardon, je n'étais pas au courant, répond le directeur. Allez, donne-moi le balai, je vais te montrer comment ça marche.

Contrepet

Il faut décaler tous ses départs !

C'est l'ado, il déféquait partout !

Insolite

Livre De Poche

Vous souhaitez connaître les secrets de l'humanité ? Il vous en coûtera 153 millions d'euros. Dans *La Tâche*, un livre de treize pages, le « philosophe » Tomas Alexander Hartmann répond à trois questions : « Qui sommes-nous ? D'où venons-nous ? Où allons-nous ? ». Imprimé à un seul exemplaire, cet ouvrage, le plus cher du monde, n'a pas trouvé preneur pour l'instant.

Pour rire

Un type avoue à l'un
de ses copains :
— Je vais divorcer.
— Ah ?
— Ben oui. Tu
supporterais, toi, de
vivre avec quelqu'un
qui fume, qui rote et
qui ne se lave qu'un
jour sur trois ?
— Ah non, alors !
— Eh bien, ma femme
non plus.

UN HOMME
EXPLIQUE À UN AMI :
— AVEC MA FEMME,
ON S'ENTEND TOUT
LE TEMPS SUR LE
PLAN SEXUEL. LA
PREUVE, HIER SOIR,
ON A TOUS LES
DEUX EU
LA MIGRAINE.

Insolite

Dessous de table

La corruption est une pratique quasiment institutionnalisée en Inde. Lors d'élections récentes, les habitants d'un bidonville ont essayé de monnayer leur voix contre l'installation de toilettes neuves. Malheureusement, on leur a expliqué qu'il était impossible d'installer des sanitaires dans des habitats précaires. En définitive, le pot-de-vin a pris la forme d'une cocotte-minute… Pas sûr que cela fasse retomber la pression dans les bidonvilles.

Pour rire

Un type dit à son copain :
— Chaque fois que je me dispute avec ma femme, elle devient historique.
— Tu veux dire hystérique, non ?
— Non, historique : elle se souvient de tout ce que j'ai fait de travers, du jour et de l'heure.

Insolite

L'arroseur public

Un homme a attaqué en justice Google après avoir été photographié par une caméra de *Street View* alors qu'il urinait dans sa cour. Devenu la risée de son village, le plaignant a exigé le retrait total de la photo. Même si son visage était flouté, ses voisins n'ont eu aucune difficulté à le reconnaître. Quand on vous dit de vous planquer !

La Promenade des Anglais à Nice, c'est bien le seul endroit où les chiens glissent sur les crottes des vieux.

Jean Yanne

Insolite

FUCK

Dans l'Angleterre du XVIIe siècle, les nobles n'étant pas de la famille royale voyaient leurs relations sexuelles strictement codifiées. Pour avoir un enfant, il leur fallait par exemple demander audience auprès du roi, qui vous remettait un panneau à clouer à la porte de la chambre pendant le rapport. Le panneau portait la mention F.U.C.K. pour Fornication Under Consent of King (fornication par consentement royal) !

Pour rire

Un homme qui vient de divorcer discute avec son meilleur ami :
— Tu vois, le mariage, c'est comme le désert...
— Pourquoi ?
— C'est simple, au départ, tu vois des palais, des cocotiers, de l'or à profusion et puis soudain tout disparaît et il ne reste plus qu'un chameau !

Pour rire

UN HOMME RENTRE CHEZ LUI À L'IMPROVISTE ET TROUVE SA FEMME AU LIT AVEC UN NAIN.
– MAIS ENFIN, CHÉRIE, TU M'AVAIS PROMIS DE NE PLUS ME TROMPER !
– BEN, TU VOIS, JE DIMINUE LA DOSE !

Insolite

Remède miracle

En 1905, sur une suggestion de l'armée, le journal *Le Matin* créa un prix de 10 000 francs pour celui qui trouverait un moyen radical pour se débarrasser des mouches à merde. 265 projets furent envoyés à la rédaction. Finalement, le vainqueur présenta un produit à base de schiste qui montra certains résultats dans l'éradication des insectes scatophiles. Une belle victoire pour l'armée française !

Pour rire

— Maman, je ne vais pas à l'école aujourd'hui.
— Pourquoi ?
— Ma maîtresse est malade : elle a la grève.

Une femme dit un jour à son mari :
— Chéri, depuis dix ans que nous sommes mariés, tu ne m'as jamais rien acheté...
Le mari lève le nez de son journal et dit :
— Pourquoi ? T'avais quelque chose à vendre ?

Pour rire

— Comment s'appellent
les prêtres gaulois ?
Loïc lève la main
et répond :
— Les droïdes.

Contrepet

En fait, elle a peu lu
et que des vers !

Elle a le cul en feu
et pète des vers !

✦✦

Insolite

ADN

Pour lutter de manière radicale contre les crottes de chien qui leur coûtent si cher à nettoyer, les habitants d'une résidence de Floride ont accepté de débourser 180 euros afin d'enregistrer le profil génétique de leur fidèle compagnon dans un fichier ADN. Les déjections trouvées sur les pelouses, rues et trottoirs sont analysées par un laboratoire spécialisé pour désigner les coupables. Les maîtres indélicats doivent alors s'acquitter d'une amende de 800 euros.

En cas de récidive, leur logement pourrait aussi être hypothéqué. Crotte alors !

Insolite

Faut penser à tout

L'organisme chargé de la construction des infrastructures pour les JO de 2012 à Londres, dont les priorités sont l'accessibilité et l'égalité, pense à tout. Ainsi, pour respecter la parole du Prophète qui dit : « Quand vous allez dans le désert, ne vous placez jamais face ou de dos à La Mecque pour faire vos besoins, mais soyez face à l'Est ou à l'Ouest », les toilettes olympiques de Londres seront installées de façon que les W.-C. ne soient jamais orientés en direction du lieu saint.

Contrepet

Ça, elle est vraiment assermentée, mais de quoi ?

Eh quoi ! Mais sa merde à elle sentait vraiment !

Pour rire

Le petit Jean revient de l'école avec son bulletin. Sa mère jette un œil et voit qu'il a des notes catastrophiques.
— Quelle excuse tu vas encore me donner ?
— J'hésite entre l'hérédité et l'environnement familial.

Le jeu des jumeaux

Parmi ces 6 pirates, deux sont
absolument identiques. Lesquels ?

Solution : le 1 et le 5 sont identiques.

Pour rire

La maîtresse demande à Toto :
— C'est quoi la légitime défense ?
— C'est quand mes notes sont tellement mauvaises que je suis obligé de signer moi-même mon carnet.

Le professeur de mathématiques rend les copies à ses élèves. Il s'adresse à Toto :
— Il s'agissait d'un problème de robinet qui fuit. Tu n'as rien répondu, mais tu as juste écrit un numéro de téléphone. Pourquoi ?
— C'est celui de mon père : il est plombier.

★★★

Insolite

Panique à Bord

Les États-Unis restent traumatisés par les attentats. Sur un vol intérieur, un passager a prévenu le pilote que le copilote était bloqué aux toilettes. Peu rassuré par le fort accent du passager, le pilote refuse de le croire et alerte la tour de contrôle en expliquant que « quelqu'un avec un fort accent étranger cherche à accéder au cockpit. » La procédure d'urgence est lancée, des chasseurs sont mis en alerte… Finalement, le copilote a réussi à enfoncer la porte des toilettes et empêcher l'intervention de l'armée de l'air.

Pour rire

Un homme demande
à un ami :
— Tu aimes les femmes
qui ont les seins qui
pendent ?
— Non.
— Celles qui ont
de la cellulite ?
— Non.
— Celles qui ont
des varices ?
— Non.
— Alors, pourquoi tu
couches avec ma femme ?

Pourquoi les
publicitaires
conseillent-ils
de prendre des
comédiennes blondes
pour des films mettant
en scène l'airbag
de la voiture ?
Parce que les
comédiennes brunes,
elles, freineraient.

Église moderne

La cathédrale de Washington affiche sur sa façade de drôles de gargouilles. L'une d'elle représente ainsi un politicien corrompu avec des billets de cent dollars plein les poches. Encore plus surprenant, une gargouille représentant Dark Vador ! La sculpture, résultat d'un concours, représente l'idée que les enfants se font du mal absolu. Cette cathédrale accueille les funérailles des présidents des États-Unis.

60%

C'est le pourcentage de personnes qui urinent sous la douche.

EN ÉCOSSE, JE NE SAIS JAMAIS OÙ ALLER...

Insolite

Urinez, c'est gagné !

Le fabricant de consoles de jeux, Sega, teste un nouveau concept de consoles de jeux dans les urinoirs : le Toylet. Le principe est simple : viser, c'est gagner. Dans plusieurs stations du métro japonais, les urinoirs sont équipés de cette installation qui fonctionne grâce à des capteurs de pression. Un écran LCD installé juste au-dessus permet au joueur de choisir entre quatre jeux différents :

- *Le Manneken Pis* mesure l'intensité de votre jet.

- *Graffiti Eraser* propose de viser avec précision afin d'effacer un tag.

- *Le vent du nord* propose d'incarner un vent coquin qui tente de soulever la jupe d'une jeune fille. Plus le jet est puissant, plus la jupe se soulève.

- *Combat* est un jeu multijoueurs où votre adversaire est la dernière personne à avoir utilisé l'urinoir avant vous. L'intensité de vos projections est comparée et ensuite matérialisée sur l'écran en nuage de lait sortant du nez de votre avatar. Celui qui pisse le plus fort a gagné. Pour les accros du jeu vidéo, il est possible de télécharger les scores sur une clé USB. D'après les premiers résultats, la prise en main est très facile !

Pour rire

Un vieil homme marié
à une jeune femme va
voir une voyante. Elle
regarde dans la boule
de cristal et lui dit :
— Je vois que vous
êtes du Capricorne.
— Oui, c'est exact.
Vous pouvez m'en
dire plus ?
— Capricorne. Alors,
je peux vous dire que
Capri, c'est fini. Par
contre, pour
les cornes, ça ne
va pas tarder.

Insolite

Longue Distance

En Afghanistan, un soldat
britannique a touché sa cible
du premier coup. Le sniper
se trouvait à 2 475 mètres
de son objectif, c'est un
record en la matière. La balle
a voyagé plus de 6 secondes
pour arriver à destination.
Toutes les conditions
étaient réunies pour ce tir
de précision : beau temps,
aucun vent, très bonne
visibilité et altitude.
Droit au but !

37 %

C'est le pourcentage de Français qui
n'utilisent pas de papier toilette mais qui
optent plutôt pour le lavabo, les lingettes
humides ou le gant de toilette...

Insolite

CaDeau

Marre de vous casser la tête à trouver le cadeau de mariage idéal ? Point W.-C. propose un cadeau qui ne manque pas d'humour : l'abonnement papier toilette ! Le spécialiste de l'aménagement des toilettes a créé un papier personnalisé à l'effigie des mariés. L'entreprise s'engage à livrer 4 rouleaux par mois et par personne. Un moyen imparable pour que vos amis se souviennent de votre contribution au plus beau moment de leur vie…

Pour rire

Un enfant de 6 ans demande à sa mère :
— Maman, maman ! Que deviennent les vieilles voitures qui ne peuvent plus rouler ?
— Eh bien, il y a toujours un petit malin qui arrive à les vendre à ton père.

Pourquoi la ménopause ne concerne-t-elle pas les hommes ? Parce qu'ils restent coincés à l'adolescence.

101

Insolite

Dopage

L'anus ne sert pas uniquement à expulser des gaz, il peut aussi servir à en faire entrer. Quel intérêt ? Améliorer ses performances sportives. En effet, les entraîneurs des nageuses de l'ancienne Allemagne de l'Est insufflaient aux athlètes une bonne quantité d'air comprimé pour faire flotter une partie du fessier hors de l'eau. Cette position permettait aux nageuses de gagner $1/100^e$ de seconde sur 100 mètres. Serrez les fesses !

Pour rire

EN BANLIEUE, QUE FAIT UN JEUNE QUI S'EN SORT ? IL RAPPE. ET S'IL N'ARRIVE PAS À S'EN SORTIR ? IL DÉRAPE.

Julien dit à sa mère :
— Maman ! Ma sœur hurle dans son bain !
— Alors, sors-la, répond la mère.
— Impossible, c'est bien trop chaud !

Pour rire

Dans le métro, un policier
s'approche d'un musicien
et lui demande :
— Vous avez un permis
pour jouer ici ?
— Non.
— Alors, accompagnez-
moi, je vous prie.
— Bien sûr. Que voulez-
vous chanter ?

— Arthur, cesse
de bouger comme
ça, je n'en peux
plus !
— Mais pourquoi,
quand tu es fatiguée,
c'est moi qui dois
arrêter de courir ?

✦✦

Insolite

Toilettes pour geeks

Les technophiles l'attendaient
depuis longtemps, la société
Roto-Rooter l'a fait : des
toilettes offrant tout le
confort audio et vidéo
possible : dock stéréo pour
iPod avec emplacement
pour papier toilette, écran
LCD 20 pouces, lecteur DVD,
enregistreur vidéo
numérique, console Xbox,
Notebook, réfrigérateur avec
système de bière pression.
N'en jetez plus !
Une personne passe en
moyenne un an, quatre
mois et cinq jours de son
existence aux toilettes,
autant rendre l'endroit
confortable. Prix de ce petit
luxe : 5 000 euros.
Espérons que la chasse
d'eau ne fasse pas
de court-circuit…

Insolite

Nouveau riche

À Moscou, la nouvelle tendance est aux toilettes ultrachic. Les restaurants proposent à leur clientèle des toilettes excessivement luxueuses avec des cloisons capitonnées en cuir, des cuvettes en plaqué or ou de la fine porcelaine. Selon les spécialistes de la Russie, cette mode s'expliquerait par la frustration née sous l'ère soviétique où le papier toilette manquait systématiquement et où la saleté des toilettes était légendaire. Finalement, en disant que « les ouvriers finiraient un jour par s'asseoir sur des cuvettes en or », Lénine s'était montré visionnaire.

Pour rire

Le petit garçon dit à sa mère :
— Maman, je ne veux plus de mon steak.
Et sa mère répond :
— Mange, ça t'apprendra à mettre ta main dans le hachoir.

ON NE DIT PAS :
« DES LIEUX PROPICES » MAIS :
« LES W.-C. »

Mots croisés

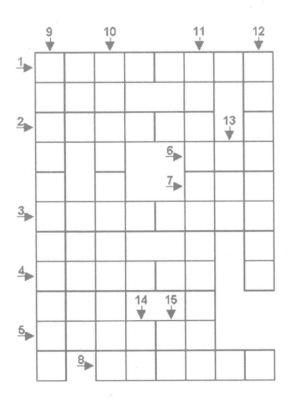

Horizontalement

1. Lézard de couleur changeante. / 2. Match décisif. / 3. Superflus./
4. Attacherai. / 5. Immense. / 6. Elément de phrase. / 7. Ondulation./
8. Repos d'après-midi.

Verticalement

9. Mauvais fonctionnement. / 10. Influenceras habilement. / 11.
Parfaites. / 12. Sport de plaisance. / 13. Cri de corrida. / 14. Nickel
pour le chimiste. / 15. Double règle.

Solution page 238.

Pour rire

Un magicien se présente chez un organisateur de spectacles et explique son numéro :
— Je suis très bon pour scier une femme en deux.
— Vraiment ? Vous le pratiquez depuis longtemps ?
— Depuis tout petit. Je m'exerçais avec mes sœurs.
— Vous en avez beaucoup ?
— Huit demi-sœurs.

Lors d'un bal du 14 juillet, une blonde est invitée à danser par un inconnu. Soudain, un pet lui échappe. Très gênée, elle dit à son cavalier :
— Excusez-moi, ça m'a échappé. J'espère que cela restera entre nous.
— Ah ben non ! J'espère que ça va circuler !

Insolite

Virginal

Aux XVIIIe et XIXe siècles, les tests de virginité, outre la présence de l'hymen, étaient basés sur le… pipi ! En effet, nos ancêtres avaient constaté que la taille et la forme du jet d'urine n'étaient pas les mêmes pour une vierge et une femme ayant connu les joies de l'enfantement. Si le jet prenait la forme d'un ruban ou d'un éventail au lieu d'un jet étroit semblable à celui des hommes, la virginité était plus que douteuse.

Insolite

Faux ami

Savez-vous que, selon les statistiques, vous avez plus de chances d'être tué par un bouchon de champagne que par une araignée venimeuse ?
Le danger vient toujours de là où on ne l'attend pas, . alors ouvrez l'œil !

Pour rire

CHUCK NORRIS NE VA JAMAIS AUX TOILETTES CAR CHUCK NORRIS, ON N'A PAS INTÉRÊT À LE FAIRE CHIER !

Petites méditations

Quand quelqu'un a une jambe plus courte que l'autre… pourquoi ne dit-on jamais qu'il a une jambe plus longue que l'autre ?

***

Qui dort dîne. Est-ce que ça veut dire que si on est victime d'insomnies, on va maigrir ?

***

Selon les statistiques, une personne sur cinq est déséquilibrée. Si on se retrouve dans une pièce avec quatre personnes normales, c'est pas bon !

Pour rire

Un commercial est en déplacement à l'étranger depuis deux semaines. Il reçoit un appel de son patron qui lui demande de rester encore un mois dans le pays. Il commence à avoir le mal du pays et une grosse envie de faire l'amour. Un jour, n'y tenant plus, il se rend dans un bordel. Il demande à la tenancière :
— Je voudrais qu'une de vos filles me fasse la pire pipe du monde.
— La meilleure, vous voulez dire ?
— Non, la pire. Ce n'est pas le sexe qui me manque, c'est ma femme.

Contrepet

Même frais, ce poisson sentait !

Même froid, son pet se sentait !

Insolite

super parents

Pour s'assurer de l'hygiène du nid et éviter que les déjections à proximité ne révèlent la présence du nid aux prédateurs, les oiseaux doivent accomplir une peu ragoûtante mission : soit manger le sac fécal des oisillons, soit les transporter à plusieurs mètres du nid. Cette poche blanchâtre renferme toutes les déjections de leur progéniture. Vous feriez cela pour vos enfants ?

Ce que le papier toilette nous apprend sur vous :

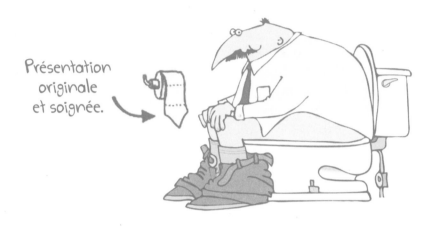

Présentation originale et soignée.

Un peu trop soignée. Vous semblez passer beaucoup de temps au toilettes !

Pour rire

Trois blondes reviennent de vacances dans un pays exotique où elles ont eu la malchance d'attraper toutes les trois la tourista.
La première femme raconte :
— Mon mari étant médecin, il m'a fait une prescription et m'a conseillé un régime, et tout est rentré dans l'ordre.
La deuxième raconte :
— Le mien est pharmacien, il a suffi d'un seul médicament pour que j'aille mieux.
La blonde explique à son tour :
— Mon mari à moi est psychologue. Alors j'ai encore la diarrhée, mais je l'accepte mieux...

Insolite
Géant

La plus grande grotte au monde se trouve au Vietnam. Elle peut contenir une ville constituée de gratte-ciel de 35 étages ! Une forêt souterraine s'y est même développée grâce aux puits de lumière créés par l'effondrement d'une partie de sa voûte.

Insolite

W.-C. express

En Suisse, dans un centre d'appels, Big Brother s'est installé aux toilettes. Non seulement les employés sont espionnés en permanence par trois caméras, mais le temps passé au petit coin est strictement encadré : 4 minutes, temps de trajet aller et retour inclus. Le temps supplémentaire est décompté de la paie mensuelle du tire-au-flanc qui se prélasse aux toilettes. Bientôt, le retour au bon vieux pot de chambre pour gagner quelques minutes ?

Pour rire

POURQUOI LES PORTUGAISES PÈTENT-ELLES APRÈS L'AMOUR ? POUR REMETTRE LES POILS EN PLACE.

Contrepet

Oui alors ! Passez-moi les dragées Fuca !

Ça alors, moi j'ai ouï les fracas du pet !

111

Pour rire

Trois petits vieux, très vieux, sont dans une maison de retraite.
Le premier dit :
— Eh ben moi, quand je me lève, la première chose que je fais, c'est d'aller faire pipi.
Le deuxième :
— Ben c'est marrant, parce que moi, quand je me lève, la première chose que je fais, c'est de faire caca. Naturellement, ils se retournent vers le troisième qui dit :
— Eh ben moi, la première chose que je fais, c'est faire pipi et caca. Ensuite, je me lève.

Proverbe

Péter, c'est éternuer dans ses vêtements...

Insolite

Traduction

Les noms de marque ne s'exportent pas toujours très bien à l'international. La marque de nourriture pour bébés Blédina a ainsi fait un flop sous ce nom en Russie. Le mot en argot russe étant l'équivalent vulgaire de « prostituée ». Pas de pot pour les petits pots !

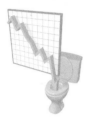

30 €

C'est le
prix d'un
« navigateur »
de toilettes
qui illumine
la cuvette des
toilettes et
évite d'avoir à
allumer
la lumière.

Pour rire

Marie regarde tranquillement
la télévision en compagnie
de son fils de 10 ans.
— Moi, ce que je préfère,
ce sont les films érotiques,
lui dit-il.
— Les films érotiques,
vraiment ? lui
murmure-t-elle, abasourdie.
— Ben oui ! *Rambo*,
Indiana Jones, les films
avec des héros, quoi !

Insolite

Petite Contribution

Il n'y a pas de petites économies. C'est ce qu'a bien compris le musée des sciences de Londres qui souhaite utiliser les excréments de ses visiteurs pour réduire sa facture d'électricité. Les déjections seraient utilisées comme pile microbienne ou pour l'alimentation des chaudières d'une mini-centrale électrique. Avec 3 millions de personnes chaque année, ce n'est pas la matière première qui va manquer. L'entrée étant gratuite, les visiteurs peuvent bien donner un peu d'eux-mêmes !

Petites méditations

S'il fait 0° et que la météo annonce deux fois plus froid pour le lendemain… Quelle sera la température ?

***

Sur les boîtes de nourriture pour chat, on retrouve parfois la mention « saveur améliorée ». Y a-t-il quelqu'un qui y a goûté pour savoir si c'est vrai ?

***

Sur une navette spatiale qui voyage à la vitesse de la lumière, est-ce que les phares fonctionnent ?

Contrepet

Et de fait, il a vraiment la part du lion !

Là, vraiment, il a l'art de péter du fion !

Insolite

COCON

Atteinte d'agoraphobie extrême, une Américaine a vécu deux ans enfermée dans les toilettes ! C'était le seul endroit où elle se sentait en sécurité. Au moment de sortir, seule la position assise semblait la rassurer et il a fallu toute la diplomatie des pompiers pour la convaincre de quitter son trône. Elle devait vraiment être au bout du rouleau…

Mots cachés

Retrouvez 15 mots cachés dans la grille. Ils peuvent s'écrire dans tous les sens. Une lettre peut servir plusieurs fois. Quand tous les mots seront rayés, parmi les lettres qui resteront dans la grille, trouvez un mot caché de onze lettres.

E	B	A	L	A	F	O	N	S	I
L	T	E	T	A	M	B	O	U	R
L	E	T	U	L	F	N	E	M	M
I	S	N	U	V	A	H	D	R	A
A	A	G	U	I	T	A	R	E	T
N	N	B	P	E	S	R	O	O	M
N	Z	A	N	R	T	P	C	U	A
O	A	L	I	Y	S	E	C	D	T
S	T	V	A	L	I	H	A	R	C

Liste de mots à trouver :

Accordéon	Flûte	Sanza
Arc	Guitare	Sonnaille
Bal	Harpe	Tambour
Balafons	Lyre	Tam-Tam
Duo	Pianos	Valiha

Le mot caché à trouver était : INSTRUMENTS.

Pour rire

Une mère entre dans la chambre de son fils :
— Debout, c'est l'heure !
— Ah non ! Je suis fatigué. Laisse-moi dormir !
— Lève-toi immédiatement ! Tu vas être en retard au lycée.
— M'en fiche, je ne veux plus aller au lycée !
— Tu ne peux pas faire ça : tu es le proviseur.

1 000 fois

L'eau en bouteille coûte environ 1 000 fois plus cher que l'eau des toilettes.

✱✱

Insolite

Hygiène de l'assassin

Aux États-Unis, les exécutions, par électrocution ou gazéification, sont soigneusement préparées. Les condamnés à mort reçoivent une tenue spéciale, faite sur mesure, qui prévient la perte de contrôle musculaire entraînant une défécation au moment fatidique. Le condamné porte un caleçon imperméable serré à la taille et aux cuisses par des élastiques. Le fond absorbant, telle une serviette hygiénique, sert à retenir l'urine et les matières fécales. Ils ont vraiment pensé à tout !

Insolite

Bolide

À Indianapolis, un petit malin a customisé des W.-C. avec… un moteur de Boeing 750 ! Monté sur des roues, un vieux cabanon en bois comme ceux que l'on trouve encore parfois au fond des jardins fait office d'habitacle. Appuyez sur l'accélérateur et c'est parti pour une virée à plus de 112 km/h !

Pour rire

Ma femme est comme une invention française : c'est moi qui l'ai trouvée et ce sont les autres qui en profitent.

Petites méditations

Comment les panneaux « DÉFENSE DE MARCHER SUR LA PELOUSE » arrivent-ils au milieu de celle-ci ?

***

De quelle couleur est un caméléon quand il se regarde dans la glace ?

***

Depuis qu'on vit plus longtemps, on meurt plus longtemps.

***

La colle en tube ça colle tout excepté les bouchons de tube.

117

Petites méditations

Si t'as besoin de lunettes et qu'tu les mets pas quand tu vas voir un film, toute l'histoire c'était juste un rêve.

***

Si vos deux gants ne sont pas pareils c'est normal : y a toujours un gauche et un droit.

***

Si on accroche un petit miroir à un sapin, il va sentir l'auto.

***

Pourquoi Noël arrive-t-il toujours quand les magasins sont bondés ?

Contrepet

C'est bien, mais elle ne remaigrissait pas du tout !

Tenez, c'est rien, mais ma grue, elle pissait debout !

Pour rire

Qu'est-ce qu'on marque sur le papier toilette destiné aux blondes ?
Le manuel d'utilisation.

Pour rire

Une belle-mère rentre de chez l'ophtalmologiste avec sa fille. Son gendre demande à sa femme :
— Alors, qu'est-ce qu'elle a ?
La femme répond :
— Elle est presbyte !
Et le mari :
— Ah ben, merde ! Déjà qu'elle était casse-couilles !

Deux amis se croisent dans la rue.
— Salut, Lionel, dis, une partouze... demain soir, ça te dirait ?
— Une partouze ? Pourquoi pas ? On sera combien ?
— Ben... si ta femme vient, on sera trois.

Insolite

Pour eux aussi

En 1916, alors que des centaines de milliers de mutilés reviennent du front, un médecin militaire, M. Rouquette, invente des sièges de cabinets réglables qui s'adaptent parfaitement à tous les types de handicap, de l'unijambiste au cul-de-jatte.

Cette invention remplaçait les W.-C. à la turque qui étaient la forme la plus courante de toilettes à l'époque. Les personnes dans l'incapacité de s'accroupir s'asseyaient ainsi sur des cylindres en écartant simplement les jambes.

Petites méditations

Si on est sur Terre pour aider son prochain, pourquoi le prochain est-il sur Terre ?

***

Si on étrangle un schtroumpf, de quelle couleur devient-il ?

***

Si rien ne se colle au Téflon, comment l'a-t-on collé à la poêle ?

***

Si Superman est tellement malin, pourquoi est-ce qu'il met son slip par-dessus son pantalon ?

Blasphème

L'Afghanistan est en émoi ! Plusieurs fabricants de papier toilette ont été arrêtés. Leur crime ? Avoir utilisé de vieux exemplaires du Coran pour en faire du PQ. L'indignation soulevée dans le pays a conduit un millier de manifestants à détruire partiellement l'usine impie.

82%

C'est le pourcentage de Français qui confient ne pas se sentir totalement propres après leur passage aux toilettes.

Insolite

Terre D'asile

Dans l'Histoire de France, les égouts ont servi de lieu de refuge à de nombreux contestataires, proscrits et persécutés. Les égouts parisiens ont ainsi accueilli les maillotins sous Charles IX, les tire-laine sous Louis II, les illuminés de Saint-Médard sous Louis XIV et les royalistes sous Napoléon. Sous les deux Restauration, les égouts ont aussi été utilisés comme cachette par les bonapartistes traqués par la police. L'odeur des excréments a donc parfois un parfum de liberté.

Terrorisme, missile ou pollution sont des plus gros mots que caca, merde ou prout.

Philippe Geluck

40 %

C'est le pourcentage de Français qui lisent aux toilettes. Les gens en profitent aussi pour téléphoner (19 %), faire des mots croisés ou jouer à des jeux vidéo (13 %), sans oublier d'écouter de la musique (5 %).

Pour rire

À la mairie, un homme commence à s'énerver devant un guichet.
— Ça fait une demi-heure que je suis devant votre guichet !
— Et alors ? Moi, ça fait quinze ans que je suis derrière !

Insolite

Le Bon trou

Vous vous ennuyez aux toilettes ? Jouez au golf ! Une marque japonaise (forcément !) vient de lancer un minigolf pour cabinets. C'est un petit green en mousse à placer juste devant la cuvette et qui permet d'améliorer son swing. Le tout est de ne pas se tromper de trou…

Pour rire

Une femme passe un entretien pour un poste de secrétaire. Le directeur du personnel lui demande ce qu'elle attend comme salaire.
— Environ mille euros, répond la secrétaire.
— Avec plaisir.
— Ah non ! Avec plaisir, c'est plus cher.

Dans la rue, sur le mur d'un immeuble, on peut lire :
LA MASTURBATION NUIT GRAVEMENT À LA CROISSANCE.
Si on baisse les yeux, on peut également lire :
VOUS AURIEZ PU LE DIRE PLUS TÔT.

☆☆☆

Insolite

PQ origami

L'origami est une technique japonaise de pliage de papier qui permet de créer des formes, animaux et personnages plus ou moins complexes. Au pays du Soleil-Levant, cette pratique ancestrale a trouvé un nouveau support qui fait fureur : le papier toilette. Des étudiants ont même rédigé un manuel très sérieux sur le sujet. On y apprend notamment à créer des cœurs ou fleurs de cerisier et à laisser ces doux messages à l'occupant suivant…

Insolite

La victoire du doux

Les douloureuses hémorroïdes d'un ambassadeur britannique ont provoqué une bataille de dix-huit ans pour savoir lequel du papier toilette rêche ou du papier souple était le plus adapté aux fesses des bureaucrates. Argument financier : plus c'est rêche, moins c'est cher. Argument santé : le papier doux est plus efficace pour prévenir certaines maladies. Finalement, le lobby doux, s'appuyant sur une étude très documentée montrant que le papier doux essuie mieux, a remporté la décision. Vive la douceur diplomatique !

Contrepet

Comme on se l'était bien vite tronchée !

Comme honteux, l'étron séchait bien vite !

Pour rire

Un couple qui vient de se marier sort de l'église sous les vivats des invités. Un ancien petit ami de la mariée demande à un gamin :
— Tu voudrais te faire 20 euros ?
— Bien sûr, monsieur.
— Dans ce cas, tu cours vers la mariée en criant « Maman ! » et le billet est à toi.

Labyrinthe

Aidez le chien de garde à rejoindre les moutons.

Solution page 239.

Pour rire

Toto et sa mère se promènent en forêt. Soudain, le petit garçon s'arrête au pied d'un châtaignier et s'écrie :
— Maman, regarde : un œuf de hérisson !

Une mère sermonne son garçon :
— Écoute, lui dit la maman, si tu es sage, tu iras au ciel, et si tu n'es pas sage, tu iras en enfer. Le garçon réfléchit quelques secondes :
— Et qu'est-ce que je dois faire pour aller au cirque ?

Insolite

Ail ail ail !

Dans le sud de la France, une coutume consistait à capturer un rat vivant et de lui enfoncer une gousse d'ail dans le rectum, afin de donner à l'animal nuisible une furieuse envie de péter. On lui cousait ensuite soigneusement l'anus. Le but de l'opération était de faire passer un message à tous ses congénères : ne vous approchez pas de nos maisons, sinon il vous en cuira. Message reçu ?

Insolite
Élec–étron

Tirer la chasse pourrait
alimenter nos maisons en
électricité. Le processus
repose sur une bactérie
contenue dans les
eaux usées qui libère
des électrons lors de
l'oxydation des matières
organiques. Un petit
appareil est déjà capable
de récupérer
les fameux électrons
et les transformer
en électricité.

Petites méditations

Si j'ai des pieds d'athlète,
vais-je courir plus vite ?

***

Si je dors et que je rêve que
je dors, faut-il que je me
réveille deux fois ?

***

Si les bébés d'ici mangent
avec des petites cuillères,
est-ce que les bébés chinois
mangent avec des cure-
dents ?

***

Si l'huile d'olive vient
des olives, d'où vient
l'huile de bébé ?

Petites méditations

Quand on est devant
un miroir, la droite
est à gauche et la gauche
est à droite…
Donc, normalement,
la tête devrait être
en bas, non ?

***

Qu'arrive-t-il à ton poing
quand tu ouvres ta main ?
Quel est le synonyme
de synonyme ?

***

Quelle couleur
de cheveux écrit-on sur
les permis de conduire
des chauves ?

Contrepet

C'est des nichoirs
à moineaux.

Ces Noirs chient
des noix à Meaux !

Insolite
À la Douche !

En 1860, un officier américain
raconte qu'en Sibérie
chaque famille conservait
précieusement l'urine produite
par ses membres. Chauffée,
elle permettait de se laver.
On l'utilisait aussi sous forme
de crème pour lutter contre
la vermine. On comprend
pourquoi le pouvoir russe
avait installé des goulags
dans cette merveilleuse
région.

Pour rire

Un litige oppose le ciel
et l'enfer. Saint Pierre
critique Satan :
— Nous avions convenu que
c'est toi qui devais réparer
les dégâts que pourraient
faire tes âmes
de mon côté !
— Tu peux aller te faire
voir !
— Tu le prends comme ça ?
D'accord, je vais
chercher un avocat !
Satan éclate de rire :
— Et tu vas le trouver où ?

Pour rire

Au tribunal, un
condamné dit au juge :
— Dix ans de prison ?
Mais, monsieur le juge,
j'ai 85 ans.
— Le tribunal ne
vous demande pas
l'impossible : vous ferez
ce que vous pourrez.

Insolite
Les toilettes à la Barre

En 1979 à Berlin, Wilhelm Schulz, pris d'une envie très pressante, cherche des toilettes publiques ou un café ouvert pour se soulager. Ne trouvant ni l'un ni l'autre, il est obligé de faire dans son pantalon. Furieux, il décide d'attaquer en justice le service de voierie qu'il juge responsable de sa mésaventure par manque de toilettes publiques.
Il réclame 40 marks, le prix du pantalon qui a fini à la poubelle. Le juge a donné raison au plaignant. Un procès qui restera dans les annales judiciaires !

Insolite

constipés

Louis XI le partageur
Selon certains historiens, la paranoïa et la cruauté du roi trouveraient leur origine dans les constipations chroniques et les hémorroïdes dont il était victime. Il appréciait tellement ses séances de lavement qu'il en faisait même donner à ses chiens.

***

Henri II le patient
Les voyages aux toilettes pour ce monarque étaient de véritables épreuves pas toujours couronnées de succès. Ses médecins pensaient que ses violentes crises de colère étaient causées par sa constipation, les excréments remontant dans sa tête. Une idée de merde ?

Pour rire

Une blonde va chez son gynécologue :
— Docteur, j'ai de l'eau dans les seins.
— C'est impossible, voyons.
— Je vous assure, touchez-les.
Le médecin commence à palper les seins de la fille. Après cinq minutes, il déclare :
— Il n'y a pas d'eau dans vos seins.
— Alors, expliquez-moi pourquoi ma culotte est mouillée maintenant ?

Contrepet

Ah ! ça, c'est l'épaisse fumée qui sent !

Mais ça sent assez les fesses qui puent !

Danger

À Vienne, un homme entend un bruit étrange venant des toilettes. Intrigué, il entre dans la pièce quand soudain un grêlon de la taille d'une balle de golf jaillit de la cuvette ! Il est suivi d'une rafale de grêle que le trône expulse ! Ce phénomène rarissime s'explique par de violentes variations de température qui ont cristallisé les eaux d'évacuation et augmenté la pression dans les conduits. Heureusement personne n'était assis sur le trône de glace…

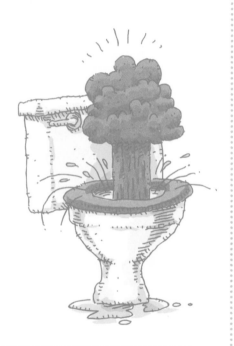

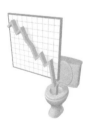

17 %

C'est la part de la facture d'eau d'un ménage moyen consacrée aux W.-C. (soit 170 euros environ).

Pour rire

Un touriste, qui s'est perdu dans la montagne, arrive devant une toute petite cabane et frappe à la porte en criant :
— IL Y A QUELQU'UN ??
Une voix d'enfant lui répond :
— OUI !!
— Ton papa n'est pas là ?
— Nan ! Il est sorti juste avant que maman rentre !
— Alors, ta maman, elle est là ?
— Nan ! Elle est sortie au moment où ch'uis rentré !
— Mais alors, vous n'êtes jamais ensemble dans cette famille !
— Ah nan, pas ici... Ici, c'est les chiottes !

150

C'est le nombre moyen de feuilles qu'on trouve dans un rouleau de PQ.

2 400 km

C'est la taille des égouts de Paris, soit la distance Paris-Istanbul.

Insolite

occidentalisation

Le papier toilette met en péril l'économie. L'engouement croissant des Chinois pour le mode de vie occidental et notamment le papier toilette fait des remous.

Le PQ est devenu le troisième produit d'importation après le pétrole et l'acier et freine considérablement les tentatives de reboisement du pays. Les autorités chinoises ont réagi en encourageant le développement de matériaux alternatifs. Un nouveau papier fabriqué à base de paille va bientôt être lancé sur le marché. Fesses sensibles s'abstenir !

Petites méditations

Si un mot est mal écrit dans le dictionnaire, comment peut-on faire pour le savoir ?

***

Si une fille conduit une voiture de sport, cuisine au micro-ondes, écrit en sténo, a suivi des cours de lecture rapide, elle peut être heureuse avec un éjaculateur précoce.

***

Si vous avez 50 ans et que vous voulez qu'on vous dise que vous avez l'air jeune, quand on vous demande votre âge, dites « 71 ans ».

Contrepet

Elle sera chasseur d'images.
Ma sœur, ça, elle chie de rage !

Insolite
c'est la crise

Les temps sont durs, en particulier en Belgique au tribunal d'instance de Bruges où il n'y a plus de… papier toilette. Avec une ardoise de plusieurs milliers d'euros, le tribunal a exaspéré son fournisseur qui a tout simplement cessé ses livraisons. Tout le personnel, juges, procureurs, greffiers, est ainsi contraint d'apporter son propre papier toilette. Vraiment, les temps sont durs !

Compilamots

Trouvez la bonne suite de mots…

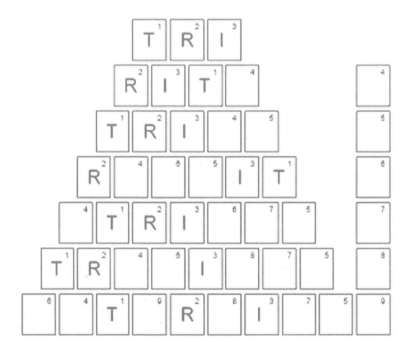

Solution page 239.

Contrepet

Ça oui, ce cher ami de toujours que tu vois est bien de la ville, hein ?

Ah oui, tu chies toujours bien que de la merde et ça se voit, vilain !

Pour rire

À l'issue d'une consultation, un praticien se prépare à rédiger son ordonnance, cherche son stylo dans la poche de sa veste et en sort un thermomètre.
— Ah ! zut ! dit-il. Quel est le trou-du-cul qui m'a piqué mon stylo ?

✳✳✳

Insolite
Impulsif

Passant en procès pour avoir participé à un kidnapping, un homme n'a pas digéré les propos du juge. Pendant une pause, il s'est caché et a rempli un sac avec ses propres excréments. À la reprise du procès, il s'est jeté sur son avocat et lui a enduit le visage avec le contenu du sac. Il s'est ensuite tourné vers le jury pour lui envoyer le reste des excréments. Une méthode de défense pour le moins originale, non ?

Pour rire

Un type, tenant un gros marteau, ne cesse de s'en donner des coups sur la tête. Un ami lui dit :
— Mais arrête ça ! Tu es fou ?
— Au contraire. Si tu savais le bien que ça me fait quand je m'arrête.

Dans le ventre d'une femme enceinte, deux fœtus taillent une bavette :
— Tu sais, toi, ce qu'il y a de l'autre côté ?
— Non, tu sais bien que personne n'en est jamais revenu.

Une femme voit son amie arriver en voiture. Le véhicule est complètement rayé sur le capot et les côtés avant, et le pare-chocs est enfoncé. Elle se précipite vers son amie.
— Que t'est-il arrivé, ma chérie ?!!
— Ne m'en parle pas ! Je roulais sur une route de banlieue et j'ai percuté un avocat !
— Mon Dieu !!! Et c'est pour ça que ta voiture est rayée comme ça ??
— Non, ça, c'est quand il a cherché à enjamber la clôture...

Insolite

constipés (suite)

Luther le poète
Le père du protestantisme n'a pas seulement écrit ses célèbres 95 thèses, mais aussi une correspondance dans laquelle il évoque de manière imagée ses problèmes de constipation : « Quand je vais à la selle, l'intestin me sort par l'anus, sous le volume d'une noix. Après, il me reste une saillie comme un grain de beauté. » C'est goûtu, non ?

Talleyrand le paralysé
Celui qui avait été qualifié de *Vous êtes de la merde dans un bas de soie* par Napoléon Bonaparte souffrait de paralysie rectale. Chaque matin un valet de chambre venait le trouver avec une cuillère en bois s'assurer de la bonne évacuation du rectum. Un réveil en fanfare…

Contrepet

Pendant tout l'été, on le reçoit moins !

Ce roi, on l'entend péter mou de loin !

Pour rire

Une nonne va chez la mère supérieure et lui dit :
— Ma mère, je voudrais quitter le couvent, je voudrais être prostituée.
— Quoi ? Mais c'est horrible !
— Je dis que je veux m'en aller. Je veux être prostituée !
— Ah bon ! J'avais cru entendre « protestante ».

Pour rire

Sur la Canebière Olive rencontre Marius, qui pousse un énorme tonneau.
— Qu'est-ce que tu fais avec ce tonneau, peuchère ?
— Je vais au docteur.
— Tu vas au docteur avec un tonneau ?
— Oui. J'y suis déjà allé cet hiver et il m'avait dit de revenir avec mes urines.

DEUX CORSES DISCUTENT DANS LA PÉNOMBRE D'UN BAR À BASTIA :
— HÉ ! ANTONNETTI, J'AI EU L'ASSUREUR AU TÉLÉPHONE : C'EST OK POUR L'INCENDIE.
— HÉ ! MOINS FORT, L'INCENDIE, C'EST QUE DEMAIN...

Insolite

Civisme

Au Japon, certains usagers des toilettes publiques ont eu l'heureuse surprise de trouver de petites enveloppes contenant un billet de 10 000 yens (60 euros) laissées en évidence sur les cuvettes.

L'argent est accompagné d'un message invitant à faire de bonnes actions. Ce Robin des Bois moderne aurait déjà distribué 4 millions de yens. D'après le style des billets, il s'agirait d'une personne âgée.

Pour rire

Un Russe, nouveau riche, entre dans un restaurant et aborde le maître d'hôtel :
— Hé ! j'ai pas dîné chez vous hier soir ?
— Si.
— Alors, c'est bien ici que j'ai picolé pour 12 000 euros ?
— Oui.
— Tu me rassures, j'ai cru les avoir perdus.

Un matin, un petit village se rend compte que le diable est perché sur le clocher de l'église. Tous les habitants sont réunis pour observer le démon. Le curé demande :
— Mais comment est-il monté ?
Une des paroissiennes répond en rougissant :
— Comme un taureau, mon père.

Une autre vie ? Être réincarné en papier toilette... Pour n'être emmerdé qu'une seule fois dans mon existence !

Bruno Masure

Insolite

ça tourne pas rond

Près de Nantes, dans la commune de Carquefou, le P.-D.G. d'une entreprise spécialisée dans les articles sanitaires souhaite faire trôner une sculpture symbolisant des toilettes au beau milieu du rond-point qui mène aux locaux de son entreprise. Il a proposé de prendre à sa charge tous les frais d'entretien annuel du carrefour. Les élus n'ont pas été emballés par l'idée…

Pour rire

Dans un restaurant, un client, visiblement agacé, s'approche de la caisse.
— Auriez-vous un briquet ?
— Je suis désolé, monsieur, mais il est interdit de fumer dans l'établissement.
— Ce n'est pas pour fumer une cigarette, mais je voudrais allumer le menu dans le fol espoir d'attirer l'attention d'un de vos serveurs…

Pendant la confession, un homme dit à son curé :
— Mon père, hier j'ai fait six fois l'amour à ma femme.
— Mon fils, avec votre femme, ce n'est pas un péché.
— Mais mon père, six fois ! Il fallait que je le dise à quelqu'un.

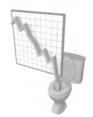 # 66 %

C'est le pourcentage des poissons d'élevage consommés dans le monde qui viennent de bassins où seule la matière fécale humaine fait office de nourriture.

Insolite

Belles au naturel

Les excréments d'animaux ont été utilisés de tout temps comme produits de beauté. En Égypte, il était très chic de se barbouiller le visage avec de l'excrément de lézard pour raffermir la peau. À Rome, les femmes recherchaient la bouse de taureau ou les excréments de crocodile pour garder un teint frais et rose. Elles le valaient bien !

Petites méditations

Pourquoi ne fabrique-t-on pas les avions avec le même matériau dont on fabrique les boîtes noires des avions ?

***

Pourquoi peut-on avoir une pizza à la maison plus vite qu'une ambulance ?

Pour rire

Un homme demande au cuisinier, qui passait dans la salle de restaurant :
— Est-ce que vous avez des escargots, chef ?
— Oui, monsieur, bien sûr.
— Eh bien, vous devriez faire attention, parce qu'il y en a un qui s'est échappé et qui est en train de me servir...

****

Insolite

La République

En 1870, l'adoption de la IIIe République française n'a tenu qu'à une seule voix. Si Mallevergne, député de la Haute-Vienne et royaliste convaincu, n'avait pas été pris d'une envie soudaine au moment du vote, le destin de la France aurait été changé.

Alors que le pauvre député subit ensuite les foudres des parlementaires de son camp, un journaliste écrit « La République a eu besoin pour triompher de la colique d'un parlementaire ». La colique de Mallevergne est entrée dans l'Histoire.

Insolite
Toilette intime

Vous êtes tranquillement aux toilettes d'un café de Stockholm quand une voix, surgie de nulle part, vous informe des effets néfastes de l'alcool. La voix fantôme vous demande même si des personnes de votre famille ont des problèmes d'alcool ou si vous avez besoin de boire pour vous sentir à l'aise en société. Rassurez-vous, vous n'êtes pas victime d'une caméra cachée mais vous participez à une campagne anti-alcool, une première mondiale. Si on ne peut même plus être tranquille au petit coin…

Contrepet

C'est y Étienne tout dépité qui passait par Paris ?

Et t'as des péripatéticiennes qui pissaient partout !

Pour rire

Le soir, dans la chambre, un homme, nu devant la glace, contemple son sexe et dit fièrement à sa femme :
— J'en aurais trois centimètres de plus, je serais le roi.
Elle lui répond :
— Tu en aurais trois de moins, tu serais la reine.

Jouer aux WC

Quelle ombre en miroir est celle du lapin de Pâques ?

Solution : l'image N°5.

Contrepet

Avant, c'était la paix, c'était bien ; mais on va quand même vite s'en tirer.

On verra bien, allez, mais t'as senti quand même ses pets vite s'éventer.

Pour rire

Deux licenciés économiques d'une imprimerie se croisent par hasard.
— Tu as réussi à retrouver un poste dans une autre imprimerie ?
— Non, mais je me suis lancé dans la culture des bonsaïs.
— À quoi ça sert ?
— À fabriquer des post-it !

Insolite

Humour antique

Une des plus vieilles blagues de l'histoire de l'humanité vient de la civilisation sumérienne (sud de l'Irak) datant de 1 900 ans avant J.-C. Les spécialistes l'ont traduite ainsi : « Une chose qui n'est jamais arrivée depuis des temps immémoriaux : une jeune femme s'est retenue de péter sur les genoux de son mari. » Ce qui prouve bien que l'humour scato est intemporel et universel !

Pour rire

À la piscine,
un nageur se fait
réprimander parce
qu'il est en train de
faire pipi dans l'eau.
— Mais enfin,
proteste-t-il, vous
exagérez, je ne suis
pas le seul à faire ça.
— Si, monsieur, du
haut du plongeoir de 8
mètres, vous êtes
le seul !

Je l'ai lu
d'une chiée.

*Che Guevara, après avoir lu
Le Petit Prince aux toilettes.*

Petites
méditations

Pourquoi les crottes de
moineaux sur une voiture
blanche… c'est noir,
et sur une voiture noire,
c'est blanc ?

***

Pourquoi utilise-t-on
des aiguilles stérilisées
pour faire des injections
létales ?

***

Pourquoi, quand on va
au guichet automatique,
il y a une file d'attente de
quinze minutes et quand
on part il y a personne
derrière nous ?

147

Pour rire

Un joli petit lapin blanc cherche désespérément un coin tranquille pour faire ses besoins. Finalement, il se met derrière un buisson. Il s'installe, se prépare, puis tout à coup, un énorme ours apparaît. Le lapin est terrifié, mais l'ours le rassure :

— N'aie pas peur mon lapin, moi aussi j'ai envie de faire mes besoins, c'est la nature, alors on va le faire ensemble, d'accord ?

— OK ! répond le lapin. Ils font la chose, puis l'ours dit :

— Dis donc lapin, t'en as pas marre d'avoir de la merde sur les poils quand tu chies ?

— Heuu… non…

Alors l'ours attrape le lapin blanc et s'essuie avec.

Contrepet

Mais il dit ne pas vouloir des paiements anticipés !

Mais, dis, il ne démentit pas vouloir pisser en paix !

Le pétomane est mort, pet à son âme.

Frédéric Dard

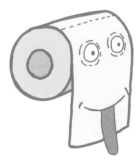

Insolite
À la Bonne toilette

Vous cherchez le lieu idéal pour passer une Saint-Valentin de rêve avec votre amoureux(se) ? Pourquoi ne pas essayer le Toilets ? Il s'agit de l'un des restaurants les plus branchés de Taiwan. Venez vous asseoir sur des cuvettes stylisées et laissez-vous surprendre par le charme du papier hygiénique en guise de serviettes. Pour rester dans l'ambiance, les plats, servis dans de mini-latrines, ont une forme d'étron. Faut-il y voir un symbole d'amour ?

Pour rire

Quel est le comble de la confiance en soi ? Péter quand on a la chiasse.

***

UN HOMME PASSE SA COMMANDE AU SERVEUR :
– ET COMME BOISSON, JE VOUDRAIS UNE BOUTEILLE DE VIN.
– BLANC OU ROUGE ?
– JE M'EN FICHE, JE SUIS AVEUGLE.

Petites méditations

Pourquoi les choses se trouvent-elles toujours au dernier endroit où on les cherche ?

***

Pourquoi les établissements ouverts 24 heures sur 24 ont-ils des serrures ?

***

Pourquoi les kamikazes portaient-ils un casque ?

***

Pourquoi le jus de citron est fait de saveurs artificielles et le liquide à vaisselle est fait de vrais citrons ?

Pour rire

*Pourquoi les hommes n'ont pas besoin d'utiliser du papier toilette ?
Parce que ce sont de parfaits trous-du-cul !*

Le futur de ce pays est entre vos mains !

Insolite

Mariage fun

Voici un petit jeu pour rendre une fête de mariage inoubliable. Faites deux équipes qui vont défendre les couleurs de chacun des conjoints et donnez-leur :
- 4 rouleaux de papier toilette blanc ou de couleur ;
- une boîte de trombones et un verre d'eau.
Chaque équipe dispose de cinq minutes pour habiller l'un de ses membres d'une robe de mariée, mais uniquement avec le matériel proposé. Les trombones et l'eau permettent de « coller » ou d'arranger le papier toilette. Attention au piège ! En effet, il faut utiliser l'eau avec précaution sinon le papier devient mou et fragile. Les participants ont aussi la possibilité de se servir des rouleaux cartonnés. Une fois le temps imparti écoulé, les candidats déguisés défilent dans la salle du mariage. L'équipe dont la robe de mariée en papier toilette est jugée la plus belle est désignée vainqueur à l'applaudimètre. Soyez créatif !

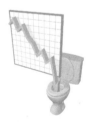

50 %

C'est la proportion de personnes ayant un miroir comme décor de leurs toilettes.

Insolite

Totalement fondu

Les touristes viennent par bus entiers admirer les toilettes en or massif du Hall of Fame. Mais les W.-C. à 24 carats de l'extravagant showroom de Hong Kong pourraient bien perdre de leur éclat. Le joaillier Hang Fung compte délester ces toilettes d'une tonne d'or pour financer son expansion. Le groupe hongkongais fondra le précieux métal μsi les cours atteignent 1 000 dollars l'once. Le trône lui-même sera préservé, seuls les ornements seront fondus.

Ce dont l'homme prend le plus mal son parti, c'est d'être un sac d'excréments sur deux pattes.

Michel Tournier

Pour rire

À l'oral du baccalauréat, une blonde explique fièrement à l'examinateur :
— Tout ce que je sais, je le dois à mon père. Avec un petit sourire en coin, l'examinateur répond :
— Je pense que pour un euro, vous êtes quittes.

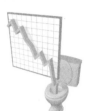

12 %

C'est le pourcentage d'Américains qui avouent avoir été tentés par le pet flambé et 3 % confient s'être brûlé les fesses.

Pour rire

COMMENT APPELLE-T-ON UN DIRIGEANT DE LA BOURSE SUR INTERNET ? UN E-RESPONSABLE.

✶✶

Insolite

C'est couillon

Les Darwin Awards sont des récompenses humoristiques décernées aux personnes mortes de manière stupide. Parmi les lauréats, qui se sont donné beaucoup de mal pour remporter la victoire, on peut saluer l'homme qui a lancé un bâton de dynamite sur un lac gelé et qui se l'est fait rapporter par son chien ou celui qui a sauté d'un avion pour filmer des parachutistes en oubliant de prendre un… parachute !

Laxatifs

Henri IV le laxatif
Le roi était un grand amateur de lavement laxatif non seulement pour remédier à ses problèmes de constipation, mais aussi pour des raisons sexuelles. Il était en effet persuadé que les traitements augmentaient ses prouesses au lit.

***

Louis XIV le purgé
Le Roi-Soleil subit plus de 2 400 purgations pendant son règne, sur ordre de ses médecins. Il allait souvent « à la selle rouge », cette présence de sang dans les urines étant le signe d'ulcérations causées par un abus de laxatifs. Le roi est d'ailleurs mort d'une fistule anale…

Contrepet

Il est père, au fait, lui aussi !

Il est fort et pète lui aussi !

Pour rire

— Docteur… docteur, je deviens tellement sourde que je m'entends même plus péter.
— Mmmh… je vois. Tenez ! Prenez ça, ça ira mieux.
— Vous êtes sûr ? Avec ça, j'entendrai mieux ?
— Non, mais vous péterez plus fort.

Mots à découvrir

Lequel de ces mots figure dans la grille ?
(les lettres doivent simplement être adjacentes)

SUCRIÈRES
SECURISER
SUCRERIES

U	U	E	C	E	C	S	I	C
S	R	C	I	C	S	U	R	E
S	S	U	S	R	R	R	S	R
R	C	S	R	I	R	U	S	R
C	S	S	R	I	R	S	U	R
E	R	I	E	E	R	E	E	E
S	I	C	E	C	I	S	E	E
E	U	E	S	I	S	U	E	S
E	E	E	R	S	U	I	R	R

Solution page 239.

> ## Il vaut mieux mourir comme cela qu'aux cabinets.
>
> *Charles de Gaulle, après l'attentat manqué du Petit Clamart*

Pour rire

Un homme fait venir un plombier chez lui pour un robinet qui fuit. En dix minutes, le problème est réglé et l'homme se retrouve à devoir payer 100 euros.

— Cent euros ! Je suis directeur de laboratoire au CNRS, j'ai fait dix ans d'études. En une journée, je ne gagne pas ce que vous venez de gagner en dix minutes.

— Je sais. Moi aussi j'ai été directeur de laboratoire.

Un riche homme d'affaires, installé avec une jeune et très belle femme, lui demande un soir :

— Ma chérie. Si jamais je fais faillite un jour, est-ce que tu m'aimeras toujours ?

— Bien sûr, mon chéri. Mais tu me manqueras beaucoup.

Pour rire

Deux terroristes
blondes partent,
à bord de leur voiture,
poser une bombe.
Comme la blonde au
volant roule un peu vite,
sa complice lui dit :
— Fais attention.
Tu vas faire sauter la
bombe s'il y a un cahot.
— T'inquiète pas.
J'en ai une autre sur la
banquette arrière.

Proverbe

Tempête pour
sortir, t'en chies
pour rentrer.

Insolite

La loi c'est
la loi

Voici quelques lois à connaître
si vous voyagez :

- En Écosse, si quelqu'un
frappe à votre porte et qu'il
a un besoin d'utiliser vos
toilettes, vous n'avez pas le
choix : vous devez le laisser
entrer.

- En Angleterre, Il est légal
pour une femme enceinte
d'uriner dans le casque d'un
agent de police.

- En Suisse, il est interdit de
tirer la chasse d'eau après
22 heures.

- À Singapour, il est illégal
d'uriner dans un ascenseur. Et
ailleurs ?

- Dans l'État de New York,
il est interdit d'uriner sur les
pigeons dans la rue. Merci
pour eux.

Petites méditations

Pourquoi est-ce qu'on appuie plus fort sur les touches de la télécommande quand ses piles sont presque à plats ?

***

Pourquoi est-ce qu'on lave nos serviettes de bain ? Est-ce qu'on n'est pas censés être propres quand on s'essuie avec ?

***

Pourquoi les directeurs de ballet engagent-ils toujours des ballerines qui font des pointes ? Ne pourraient-ils pas en engager de plus grandes ?

Contrepet

Elle pimentait souvent.

Souvent, elle pète en mi !

Pour rire

Une blonde appelle l'assistance téléphonique pour un problème informatique :
— Vous me dites qu'il ne faut pas de majuscules pour le mot de passe, c'est ça ?
— Tout à fait.
— Et les chiffres, je les mets en minuscules aussi ?

le livre pour ne plus s'emmerder aux toilettes

Kamikaze

La *Camponotus cylindricus* est une véritable fourmi kamikaze. Si elle estime qu'un danger guette la fourmilière, elle prend son courage à quatre pattes et fonce droit sur l'ennemi.

Elle l'agrippe de toutes ses forces avant de contracter son abdomen qui explose, recouvrant son ennemi d'une substance gluante et toxique. Une victime qu'on retrouve éparpillée façon puzzle !

Pour rire

Au cours d'une dispute, un homme crie à sa femme :
— De toute façon, tu es nulle au lit !
Puis il part au travail. Quelques heures plus tard, pris de remords, il téléphone à son épouse. Après plus d'une minute de sonnerie, elle décroche, tout essoufflée.
— Qu'est-ce que tu fais pour être essoufflée comme ça ?
— Je suis dans la chambre. Je voulais avoir un deuxième avis.

À la mi-temps des rencontres sportives, devant les pissotières, il y a beaucoup de cons, mais c'est tout de même devant les toilettes des dames qu'il y a le plus de queues.

José Artur

75 %

C'est le pourcentage d'Américains qui utilisent leurs portables aux toilettes, majoritairement pour une utilisation professionnelle.

Pour rire

En retard à une
importante réunion,
un cadre se justifie :
— Désolé, mais ce
matin j'ai appuyé
trop fort sur mon
tube de dentifrice.
Le temps que
je remette tout
dedans...

Pour rire

Deux hommes
discutent. L'un dit :
— Ma belle-mère est
un ange.
L'autre dit :
— Tu as de la
chance. La mienne
est encore en vie.

Insolite

Urinoir De Campagne

Lors du festival danois de *Roskilde*, les participants ont pu découvrir une nouvelle sorte de W.-C., le P-Tree. Sanglé autour du tronc des arbres, cet urinoir forestier de couleur orange très voyant devait inciter les participants à faire directement leurs besoins sur les arbres. Le slogan est « Envie de pipi, trouvez un arbre ». L'utilisation de cet urinoir écolo serait étudiée sérieusement par de nombreux festivals de plein air. Pudiques, s'abstenir !

Tous les drapeaux ont été tellement souillés de sang et de merde qu'il est temps de n'en plus avoir, du tout.

Gustave Flaubert

✶✶

Insolite
Impôts De merDe

Un contribuable a envoyé des W.-C. et des marteaux au Trésor public, comme paiement de son impôt sur le revenu. Voilà sa lettre d'explication :
Monsieur l'agent du Trésor public,
Mon colis a pu vous étonner au départ. Alors voilà quelques explications :
Vous trouverez avec cette lettre une photocopie de l'article du Nouvel Observateur *intitulé « Les vraies dépenses de l'État ». Vous noterez que dans le quatrième paragraphe, il est précisé que l'Élysée a l'habitude de payer des brouettes 5 200 francs, des escabeaux 2 300 francs et des marteaux 550 francs pièce. Par ailleurs, un très* intéressant article du Canard enchaîné *dont la bonne foi est bien connue, rapporte que le prix des sièges W.-C. du nouveau ministère des Finances est de 2 750 francs pièces. Vous devant la somme exacte de 13 216 francs, je vous adresse donc dans ce colis quatre sièges W.-C. neufs et cinq marteaux, le tout représentant une valeur de 13 750 francs. Je vous engage à conserver le trop-perçu pour acheter un tournevis supplémentaire à notre président de la République.*
Ce fut un plaisir de payer mes impôts cette année.
J.O., un contribuable heureux
On ne sait pas comment ont réagi les services fiscaux…

✶✶

Insolite

Grève aux toilettes

En 1895, c'est la première grève des dames pipi. La préfecture de Paris veut en effet supprimer les poêles qui permettent à ces femmes de se chauffer l'hiver.

Travaillant 15 heures par jour et payées 1 franc, ces professionnelles avaient déjà vu baisser les pourboires laissés par les usagers souvent mécontents de la suppression de la lumière au petit coin.

Finalement, l'administration s'étant aperçue que cette suppression créait un risque de gel des canalisations, la mesure fut enterrée. Les dames pipi ont eu chaud !

Contrepet

Et quelqu'un qui se tait a cassé ton gros bouddha, là !

Ah ! quel caca-boudin c'est, ce gros thon qui était là !

Pour rire

UNE FEMME DEMANDE À SON MARI :
– POURQUOI EST-CE QUE MA MÈRE COURT EN ZIGZAG EN CRIANT ?
– TAIS-TOI ET PASSE-MOI LES CARTOUCHES !

Labyrinthe

Quel est le chemin qui permet à l'ours de manger sa poire ?

Solution : Le chemin N°4

Pour rire

À Bruxelles, un garçon demande à son père :
— Papa, papa, c'est quoi, l'hérédité ?
— C'est très simple ! Par exemple, si je n'avais pas pu avoir d'enfant... eh bien, toi non plus, tu ne pourrais pas en avoir !

Dans une petite ville balnéaire bretonne, le gérant d'un gîte rural donne un conseil à des touristes :
— Pour deviner quel temps il va faire, il suffit d'observer le phare sur la pointe. Si vous le voyez, c'est qu'il va pleuvoir.
— Et si on ne le voit pas ?
— C'est qu'il pleut déjà.

Excusez ma vilaine écriture, la plume est déjà vieille, mais il y a bientôt vingt-deux ans que je chie par le même trou et il n'est même pas encore déchiré, tous les jours je chie dedans et mords la crotte à belles dents.

Wolfgang Amadeus Mozart

Insolite

Crotte De fin

En Allemagne, au XVIIᵉ siècle, pour mettre fin à une relation amoureuse, les femmes mettaient un bout de leur excrément dans la chaussure de leur amant. Est-ce pour cette raison que l'on dit que marcher dedans porte bonheur ?

L'Alsace était comme des toilettes... toujours occupée.

Tomi Ungerer

Petites méditations

Au tribunal, au moment précis où tu jures de dire la vérité, est-on déjà sous serment ?

***

Comment Donald peut-il avoir des neveux s'il n'a ni frère ni sœur ?

***

La terre est ronde, et on l'appelle « planète ». Si elle était plate, on l'appellerait « rondette » ?

***

Les Américains lancent du riz lors des mariages. Est-ce que les Chinois lancent des hamburgers ?

Petites méditations

Aux jeux para-olympiques, y a-t-il des stationnements standard ?

***

Au lieu de rembourrer les sièges d'avion, on devrait les gonfler à l'hélium.

***

Au milieu d'un cours de relaxation, il faut prévoir un repos de quinze minutes.

Contrepet

Léa a donc dû mettre aussi son faux chignon.

Allez donc, Noah, son maître chie aussi du fion !

Pour rire

Dans un bar, deux amis discutent :
— J'ai lu dans un journal que 5 femmes sur 100 préfèrent échanger des confidences que faire l'amour.
— Et alors ?
— Je n'ai vraiment pas de chance : je les ai rencontrées toutes les cinq...

Insolite

Steak Bio

Un chercheur japonais a trouvé une solution contre la faim dans le monde. Il a mis au point des steaks à base d'excréments, très riches en protéines. Il suffit d'ajouter un peu de colorant alimentaire et des protéines de soja pour obtenir un ersatz de steak.

Moins gras et moins calorique que la vraie viande, ce steak aurait un goût très proche du bœuf. Pour l'instant le seul souci est que cette « viande » est de 15 fois plus chère que celle qu'on trouve en magasin. On bouffe vraiment de la merde, parfois.

Pour rire

— Mon mari oublie tout ce qu'on lui demande, mais vraiment tout. Je viens de l'envoyer me chercher des pommes et je te parie que, lorsqu'il reviendra, il aura naturellement oublié d'en prendre !
Cinq minutes plus tard, le mari revient, tout excité.
— Chérie ! dit-il. C'est incroyable. Je suis passé par le tabac pour vérifier mon billet de Loto… et nous avons gagné !!! Les six numéros ! Quatre-vingts millions d'euros ! Nous sommes riches !
Sa femme lève les yeux au ciel en soupirant et répond à son mari :
— Et, bien sûr, tu as oublié les pommes !

La peinture, c'est comme la merde, ça se sent mais ça ne s'explique pas.

Toulouse-Lautrec

Insolite

Aphrodisiaque

Le peintre Dali, dont la réputation d'excentrique n'est plus à faire, expliquait quel moyen imparable il avait trouvé pour séduire sa femme, Gala. Il avait préparé un mélange d'excréments de chèvre et de serpent en décomposition. Ensuite, il se couvrait la tête avec cette étrange décoction : « Les excréments de chèvre, ça m'excite terriblement et j'ai pensé que cela allait plaire à Gala. J'ai commencé ma parade de séduction et ça a très bien marché. En très peu de temps, elle était amoureuse de moi ». Chapeau !

Proverbe

Vaut mieux prendre cinq minutes pour chier, que de prendre une demi-heure pour s'essuyer !

Contrepet

Sûr que les sous, ça sert aussi pour bien dépenser.

C'est que les pets, ça sent bien sûr aussi pour des sourds.

Insolite

Prison Break

Une caméra de surveillance a permis d'enregistrer pour la postérité une scène surréaliste : un prisonnier, sans doute déséquilibré, a tenté de s'échapper en sautant la tête la première dans les toilettes de sa cellule. On le voit grimper sur le lit couchette du haut. Il est à deux mètres de hauteur, puis il fixe pendant de longues secondes la cuvette avant de sauter... Un remake étonnant de *La Grande Évasion*.

Pour rire

Pourquoi l'air est-il si pur à Bruxelles ? Parce qu'on n'y ouvre jamais les fenêtres !

Baudelaire : Le Saint-Vincent-de-Paul des croûtes trouvées, une mouche à merde en fait d'art.

Les frères Goncourt, Journal

Pour rire

– JE SUIS ALLÉ
À LOURDES AVEC
MA FEMME.
– ET ALORS ?
– IL N'Y A PAS EU DE
MIRACLE : JE SUIS
REVENU AVEC.

Pour rire

Dans un bar, un homme se vante auprès de son voisin, qui se plaint de devoir rentrer tôt à cause de sa femme :
– Moi, je peux rentrer quand je veux chez moi ! Pas de femme pour me dire ce que j'ai à faire ! Et pourtant, j'ai été marié deux fois.

– Divorcé deux fois ?
– Non. Ma première femme est morte après avoir mangé des champignons, et la deuxième, d'une fracture du crâne.
– Une fracture du crâne ? Qu'est-ce qui s'est passé ?
– Elle ne voulait pas manger ses champignons.

Insolite
Quelle crotte est-il ?

Vous voulez être original ? Changez de montre pour la dernière création de l'horloger Yves Arpa qui a lancé la première montre pourvue d'un cadran en coprolithe de dinosaure, autrement dit en matière fécale fossilisée. Le créateur s'est déjà illustré dans la création de montres originales, notamment avec la collection « Coup de foudre » composée de montres foudroyées par 1 million de volts. Le plaisir de vous balader avec de l'excrément de dinosaure au poignet coûte la coquette somme de 8 380 euros.

Contrepet

C'est des folles de mecs !

Ces deux molles défèquent !

Insolite
Dernière secousse

En 1995, un Britannique plus que malchanceux est décédé sur le siège de toilettes publiques de l'île de Wight. D'après l'enquête de police, l'homme aurait été électrocuté en s'asseyant. Le coupable serait un câble électrique dénudé entré en contact avec la cuvette en fonte. C'est ce qu'on appelle des toilettes branchées, non ?

Jeu des différences

Trouvez les 8 différences entre les deux images.

Solution page 239.

Pour rire

À l'école, l'institutrice demande :
— Tiffany, quand s'arrête-t-on de grandir ?
— Très vieux. Mon papa, il grandit encore : sa tête commence à dépasser ses cheveux.

Deux Belges viennent de se faire embaucher dans une meunerie. Juste avant midi, le premier appelle à l'aide son ami :
— Philippe ! Philippe ! J'ai perdu un doigt...
— C'est vrai ? Et comment tu as fait ?
— J'ai juste touché cette grande roue qui tourne comm... Arrrghhh ! Et merde encore un autre !

✦✧

Insolite

Dehors !

Au Malawi, le parlement envisage de remettre en vigueur une loi coloniale interdisant de lâcher des vents en public. « Maintenant, à cause de la liberté, les gens s'arrogent le droit de se soulager n'importe où, n'importe quand. La nature peut être contrôlée et rien n'empêche d'aller lâcher un gaz dans les toilettes au lieu de le faire dans la rue » a expliqué avec le plus grand sérieux le ministre de la Justice.

Pour rire

– JE DÉTESTE
HALLOWEEN !
– BEN, POURQUOI
DONC ? C'EST SYMPA,
LES MORTS QUI
RENCONTRENT
LES VIVANTS !
– JUSTEMENT, J'AI
ENTERRÉ MA BELLE-
MÈRE LA SEMAINE
DERNIÈRE...

*Bien mal au
cul ne profite
jamais.*

Pierre Desproges

Insolite

Depardieu Pisse Dans une Bouteille

L'acteur Gérard Depardieu ne se fait pas remarquer uniquement sur grand écran. Lors d'un vol Paris-Dublin, l'acteur a été pris d'une envie plus pressante au décollage, moment pendant lequel les toilettes ne sont pas accessibles. « Je veux pisser, je veux pisser » a-t-il imploré. Mais pour des raisons de sécurité, l'hôtesse de l'air a refusé. L'impayable Gérard a alors commencé à uriner devant des passagers médusés. La compagnie aérienne a pris l'incident avec le sourire en déclarant : « Comme vous avez pu le voir à la télévision, nous sommes occupés à passer la serpillière dans l'un de nos avions ce matin ».
Et la grosse commission, c'est pour quand ?

177

Insolite

Miss toilette

Cette année encore, la compétition est relevée pour remporter le prix Meilleures Toilettes des États-Unis qui existe depuis dix ans. Voici les candidats les plus sérieux :
- Les toilettes du vignoble Castello di Amorosa Winery en Californie, qui disposent de lavabos en travertin importé de Toscane et de tableaux peints sur ses portes.
- Les toilettes du Snowbasin Ski Resort (Utah) sont ornées de bois d'anigre, de marbre et de chandeliers en bronze et cristal.
- Les toilettes du Ninja New York Diner disposent de cuvettes chauffantes et de robinets à jets variables.
- Les toilettes du Main Street Station Casino de Las Vegas où des urinoirs sont fixés sur un pan entier du véritable mur de Berlin recouvert de graffitis.
Vous préférez lesquelles ?

Contrepet

Oh ! mais ce cher Eliot a la peau douce de bébé.

Mais l'ado, ce bébé, a l'air de pousser aux chiottes !

Pour rire

Deux vieux se retrouvent au bistrot.
— Ma femme et moi, nous allons bientôt fêter nos quarante ans de mariage.
— Nous, c'est bientôt les noces de fer-blanc.
— Les noces de fer-blanc ?
— Trente ans de mariage, trente ans de boîtes de conserve !

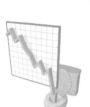

75 %

C'est le pourcentage des pets qui restent muets.

Pour rire

Les Belges sont furieux : ils ont tous envoyé de l'argent au Téléthon, mais pas un seul n'a reçu le myopathe qu'il avait commandé.

Insolite

Suivez le guide !

En Bulgarie, des cars entiers de touristes viennent visiter la petite ville de Boboshevo. Pour voir une cathédrale ? Un musée ? Non, simplement des toilettes. Mais pas n'importe lesquelles. Financé par l'Union européenne, ces W.-C. ont coûté plus de 17 000 euros. Quelques élus de l'opposition se demandent si cet argent n'aurait pas dû être mieux utilisé pour refaire des routes ou construire des crèches… Les autorités rétorquent que ce tourisme des toilettes développe le commerce local. Et les visiteurs repartent avec un rouleau souvenir ?

Pour rire

C'est un vieux couple atteint de la maladie d'Alzheimer qui passe l'après-midi chez lui.
La femme dit à son mari :
— Mon cœur, tu veux bien aller me chercher une glace au congélateur ?
Le mari se lève, va dans la cuisine et revient après dix minutes avec des œufs au plat.
— Mon pauvre, dit son épouse, je sais que c'est pas ta faute, mais tu as oublié la béchamel.

Insolite

Live

Une présentatrice de CNN a oublié d'enlever son micro avant d'aller aux toilettes. Un discours de l'ancien président George Bush a ainsi été interrompu par des bruits d'eau et de fermeture Éclair, avant de profiter des confidences de la journaliste sur son mari : « Il est beau et vraiment adorable, tu vois, il n'a pas un ego démesuré » ou sa belle-sœur : « Mon frère, il est marié, il a trois enfants, mais sa femme, elle le lâche pas une seconde. » Beaucoup plus intéressant qu'un discours politique…

500 fois

Un téléphone portable contient 500 fois plus de microbes qu'un siège de toilettes.

Self made man

Dans l'ancienne Allemagne de l'Est, Henrik Lürrs fut l'un des rares milliardaires à ne pas être membre de la nomenklatura. Surnommé « grand maître des boîtes à pisse », il a bâti sa fortune sur les W.-C. mobiles qu'il promenait dans tout le pays et les plaçait dans les kermesses, les salons d'agriculture, les réunions politiques, etc. Sa devise était : « chacun doit le faire, riche ou pauvre ». Connaissant la légère tendance des Allemands à consommer de la bière lors de ces rassemblements, on comprend que le bonhomme ait fait fortune !

Pour rire

Deux vieux messieurs :
— Avec l'âge, tu sais, je n'arrive plus à me rappeler ton prénom. Tu peux me le dire ?
— Euh... T'as besoin d'une réponse tout de suite ?

181

Pour rire

Un homme chez le médecin laisse échapper un pet :
— Désolé, docteur, j'ai régulièrement des flatulences, mais heureusement, elles ne sentent pas mauvais.
— Je vois ! Je vais vous prescrire des pilules, et revenez me voir dans quelques jours.

Le petit vieux revient comme prévu :
— Je ne sais pas ce que vous m'avez donné, mais j'ai toujours autant de flatulences et en plus, maintenant, elles sentent mauvais.
— Maintenant que vos sinus sont dégagés, on va s'occuper de vos gaz.

Pour rire

Comment appelle-t-on une journée de grève chez les fonctionnaires ?
Une journée d'action.

De deux choses l'une : ou bien la merde est acceptable (alors ne vous enfermez pas à clé dans les waters!), ou bien la manière dont on nous a créés est inadmissible.

Milan Kundera

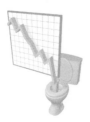

6 %

C'est le pourcentage de personnes qui se chronomètrent quand elles vont aux toilettes.

Proverbe

Celui qui laisse tomber sa montre dans les toilettes aura un temps de merde.

* *

Insolite
Magie Des excréments

Jusqu'au XXe siècle, en Normandie, l'urine et les excréments étaient utilisés comme remèdes à certains désagréments.
Petit florilège :
- Pour lutter contre les puces : placer du crottin de cheval sous le lit.
- Contres les hématomes : boire de l'urine de chat infusée dans du vin blanc.

- Pour soigner la jaunisse : boire pendant trois jours de la fiente d'oie mâle dans du vin blanc.
- Pour stopper une hémorragie : appliquer sur la plaie des excréments séchés de porc.
- Pour lutter contre la constipation : pratiquer des lavements à l'urine de vache. Vous voulez un rendez-vous chez le docteur Scato ?

Petites méditations

D'où vient l'idée de stériliser l'aiguille qui va servir à l'injection fatale d'un condamné à mort ?

***

En nage synchronisée, si une nageuse se noie, les autres se noient-elles aussi ?

***

Est-ce prudent de se faire faire une chirurgie plastique chez un médecin dont le bureau est décoré avec des toiles de Picasso ?

Contrepet

Il se sentait fort bien quai Duperré.

Ils sentaient bien fort, ces pets de curé !

Insolite

Œufs marinés

La cuisine chinoise est réputée pour sa très grande diversité. Dans les rues de Dongyang, les passants peuvent même s'acheter des œufs bouillis dans de l'urine d'enfant ! Les cuisiniers de ces gargotes récupèrent l'urine des toilettes de l'école primaire de la ville afin de préparer ces œufs réputés bons pour la santé. Bon appétit !

Petites méditations

Comment font les aveugles pour savoir qu'ils ont terminé de se nettoyer quand ils vont aux toilettes ?

Pour rire

Sur la cuisse de Robinson Crusoé se trouvent deux moustiques. L'un dit :
— Allez, je m'en vais.
— D'accord.
À Vendredi...

✶✶✶

Insolite

Antifongique

Au Brésil, les cacaoyers de la région de Bahia étaient menacés d'anéantissement par un véritable fléau, « le balai des sorcières ». Ce champignon parasite avait ravagé en dix ans 70 % des plantations et personne n'avait de solution. Heureusement, deux chercheurs brésiliens ont trouvé un remède aussi efficace qu'original : la pisse de vache. L'urine ne s'attaque pas directement au champignon mais donne aux arbres la possibilité de se défendre. À noter que de nombreux travailleurs agricoles au chômage à cause du « balai des sorcières » se sont reconvertis en collecteurs et vendeurs d'urine de vache.

Pour rire

Un oiseau rescapé
d'une marée noire
donne des nouvelles
de sa famille à un
cousin :
— Et ton frère,
qu'est-ce qu'il fait ?
— Il est dans le
pétrole.

BÉBÉ CYCLOPE
DEMANDE À PAPA
CYCLOPE :
- PAPA, POURQUOI
ON N'A QU'UN ŒIL ?
- OH ! LA FERME,
TU ME CASSES LA
COUILLE !

Agent spécial

Le visage dissimulé derrière d'épaisses lunettes noires, un homme suit sa cible dans une ruelle de Paris. « On en tient un », chuchote-t-il à son partenaire qui se précipite. L'homme piégé remonte précipitamment la fermeture Éclair de son pantalon. Il vient de se faire prendre en flagrant délit par un agent de la Brigade des incivilités, une unité spéciale mise sur pied par la ville de Paris pour en finir avec les épanchements d'urine sur la voie publique. Le monsieur en est quitte pour une contravention à 35 euros.

Insolite

Sent Bon

Une petite entreprise britannique spécialisée dans le parfum à thème a créé un parcours olfactif pour un musée. Reconstituer une haleine du tyrannosaure ou l'odeur des excréments de loutre n'a pas été une mince affaire, mais ils ont relevé le défi. Très créatifs, les ingénieurs ont aussi élaboré un parfum pour les entreprises : « Vos employés sont stressés ? Un simple clic et ils ont un parfum d'ambiance relaxant ». Et bientôt un parfum de vacances ?

Contrepet

D'après lui, tout part de Socrate.

D'après lui, ça crotte de partout !

Proverbe

Caca de bringue, caca qui chlingue.

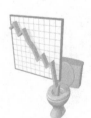

10 000

C'est le nombre de couches salies en moyenne par un enfant avant de savoir aller sur le pot.

Pour rire

Un Monégasque
demande à un touriste :
— Combien de temps
restez-vous chez nous ?
— Au maximum
30 000 euros.

Pour rire

En Afrique, une grand-mère demande à son petit-fils d'aller à l'étang pour chercher de l'eau. Le petit garçon lance son seau dans le point d'eau quand il aperçoit un énorme crocodile qui le regarde. Terrifié, il rentre chez sa grand-mère. Celle-ci lui demande :
— Que s'est-il passé ?
— J'ai vu un gros crocodile. J'ai eu très peur.
— Ne t'inquiète pas. Ce crocodile est là depuis des années et n'a jamais blessé personne. Il a certainement eu aussi peur que toi.
— Grand-mère, si le crocodile a eu aussi peur que moi, alors on ne pourra plus boire l'eau de l'étang.

Pour rire

Dans un train, une vieille dame arpente le couloir en répétant :

— J'ai perdu ma boulette, j'ai perdu ma boulette, j'ai perdu ma boulette.

Tous les occupants du wagon se mettent à quatre pattes pour chercher la boulette, mais après dix minutes, personne n'a rien trouvé. La vieille dame continue de répéter :

— J'ai perdu ma boulette, j'ai perdu ma boulette...

— Mais on ne la retrouve pas, votre boulette.

— Tant pis. Je vais en refaire une autre.

Et elle enfonce son doigt dans sa narine.

Insolite

comme son nom l'indique

En Suisse, une montagne culminant à 2 620 mètres porte le doux nom de Sex des Branlettes. Rien de sexuel dans l'origine de ce nom. En effet « sex » signifie en latin « rocher » et « branlette » est le mot d'argot suisse désignant la ciboulette. À noter que le « x » ne se prononce pas, on doit donc dire « Sé des Branlettes ». On imagine qu'on doit jouir d'une belle vue au sommet.

Pour rire

Un motard percute une femme très enrobée. Étendue sur la chaussée, elle reprend lentement ses esprits et dit :
— Vous auriez pu faire le tour.
Le motard répond :
— Je n'étais pas certain d'avoir assez d'essence.

Dans la rue, un homme demande à une passante :
— Vous n'auriez pas vu un policier ?
— Non.
— Alors, donnez-moi votre sac à main.

Insolite

Post mortem

Aux États-Unis, les employés des pompes funèbres massent vigoureusement leurs clients décédés. Non, ce n'est pas pour les détendre avant de les conduire à leur dernière demeure…

Le massage doit permettre d'évacuer tous les gaz et éviter un lâcher de gaz du plus mauvais effet lors de la présentation du corps.
Pet à votre âme !

Pour rire

QUE FAIT UN CHIRURGIEN POUR OPÉRER SANS ANESTHÉSIE ? IL MET DES BOULES QUIES.

Le capitaine des pompiers entre tranquillement dans le réfectoire et dit :
— Hé ! les gars, préparez-vous doucement, il y a le feu aux Impôts.

★★

Insolite

Tapage

Les Marines américains présents en Afghanistan ont reçu l'ordre d'arrêter de péter. Non ce n'est pas une blague ! Selon les responsables locaux, les Afghans seraient particulièrement incommodés par les nuisances sonores occasionnées par les prouts des bidasses. Il faut préciser que les concours de pets sont un passe-temps de choix pour les bidasses dont les rations riches en glucides favorisent les flatulences. Leurs ennemis ont-ils eu vent de cette histoire ?

★★

Pour rire

Une blonde rentre chez elle plus tôt que prévu. Elle trouve son mari au lit avec une autre femme. Elle fonce chercher un revolver, retourne dans la chambre, fait face aux deux amants restés dans le lit. Pointant l'arme sur sa tempe, elle les menace :
— Je vais arrêter votre petit jeu une fois pour toutes !
Le couple dans le lit se met à rire. Alors, la femme trompée, furieuse, leur hurle :
— Je ne rirais pas trop à votre place. Je vous signale qu'après, ce sera votre tour !

Contrepet

C'est la miss des ports.
C'est la pisse des morts !

Insolite
Péter De Peur

Plusieurs études montrent que les hystériques et les hypocondriaques seraient plus sujets aux pets qu'une personne lambda. En effet, quelqu'un connaissant une forte frayeur développe une grande quantité de gaz, *a fortiori* après un repas.
Les rencontres entre hystériques et pyromanes ne doivent pas être tristes !

Proverbe

Boire en mangeant évite de faire de la poussière en chiant.

Pour rire

Des Corses prennent l'apéro :
— Dis, est-ce que ma braguette est ouverte ?
— Non.
— Tant pis, j'irai pisser demain.

✦✦

Insolite

Jeu De gauche

Quand Elizabeth Magie invente en 1904 « *The Landlord's Game* », un jeu de société pédagogique qui dénonce le capitalisme et les monopoles d'une certaine élite, elle ne se doute pas un instant de son avenir. Racheté par l'éditeur Parker Brothers, le jeu sera vendu dans le monde entier et deviendra le célèbre… Monopoly ! Le jeu de société qui a généré des millions de profits…

Pour rire

Une blonde appelle
un amant d'un soir :
— Je pense que
nous avons fait une
erreur ?
— Quoi comme erreur ?
— Une erreur
fœtale !

POURQUOI LES
BLONDES LANCENT-
ELLES DES GOUSSES
D'AIL LE LONG
DES ROUTES ?
PARCE QUE C'EST
EXCELLENT POUR LA
CIRCULATION.

Insolite

RECORDS
DU MONDE

65 000 litres
de bouse
par an : vache.

100 kg par jour :
éléphant. Le plus grand
individuellement.

Insolite

vocation

En Inde, une loi de 1993 a mis fin à une tradition ancestrale : la collecte à la main des excréments humains. Une pratique ancestrale dévolue à la sous-caste valmiki : « Chaque matin, je passe chez huit à dix familles pour nettoyer leurs toilettes, récolter leurs déchets et aller les jeter à plus d'un kilomètre du village. Lorsqu'il pleut, les ordures coulent à travers le panier et dégoulinent sur mes cheveux » témoignait une jeune Indienne. Malgré l'interdiction, cette forme de collecte continue car les Valmiki ont des difficultés à trouver un autre job.

Contrepet

Mais c'est que ça dépend !
Mais que ça sent des pets !

Pour rire

Chez le dentiste :
— Combien faudra-t-il compter pour l'extraction de cette dent ?
— Cent douze euros.
— Cent douze euros pour quelques secondes de travail seulement !! Eh bien, on peut dire que vous faites facilement fortune, de cette façon !
— Je peux prendre tout mon temps pour l'arracher, si vous le souhaitez...

Insolite

Nuage D'urine

Certains Américains ont été surpris d'apercevoir une étrange bande lumineuse dans le ciel. Une invasion extraterrestre ? Non. Les météorologues ont rassuré tout le monde en expliquant que cet étrange phénomène était simplement un nuage d'urine largué par les astronautes de la navette spatiale américaine. « C'est une procédure ordinaire, mais cette fois-ci les astronautes ont été obligés de larguer une quantité beaucoup plus importante que d'habitude, qui de ce fait est devenue visible de la Terre », a expliqué un représentant de la NASA.

30 min

C'est le temps que doit attendre un nouveau-né avant de lâcher son premier pet.

Pour rire

Juste au moment où
le dentiste se penche
sur sa patiente pour la
soigner, il sursaute.
— Excusez-moi,
madame, mais ce
sont mes testicules
que vous tenez.
— Je sais. Nous
allons tous les deux
faire bien attention à ne
pas faire mal à l'autre.
D'accord ?

Pour rire

Un avocat meurt et
se retrouve au paradis.
Il va trouver saint
Pierre et lui dit :
— Je ne comprends
pas, je n'ai que 35 ans.
Pourquoi suis-je
déjà mort ?
— Nous avons vérifié
dans nos livres. D'après
les heures de travail
que vous avez facturées
à vos clients, vous
avez 132 ans.

Le palais des Festivals à Cannes,
c'est un endroit où on applaudit les toilettes
avant d'aller se faire chier.

Laurent Ruquier

Insolite

Le saviez-vous ?

Dans la Rome antique, avec la création des égouts, plus question d'utiliser la traditionnelle pierre pour se nettoyer l'arrière-train. C'est la naissance du premier papier toilette à base de vieux tissus de toges, déchirés en morceaux et amalgamés avec de la colle de blé. Au moment des persécutions chrétiennes, ce papier bon marché est remplacé par un textile d'origine animale plus écologique et plus solide. Les Romains utilisent alors des poils de lions, fauves ou même de gladiateurs !

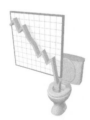

50 %

C'est le pourcentage d'Américains et de Hollandais qui, honteux de leur pet, ont tendance à accuser une autre personne d'être l'auteur d'odeurs et de bruits inconvenants.

Insolite

vengeance scato

Aux États-Unis, un tatoueur professionnel a décidé de se venger de sa copine qui l'avait trompé en lui tatouant un étron géant dans le dos. L'homme avait bien préparé son coup. Il a fait beaucoup boire sa copine avant de lui proposer de faire un tatouage du monde de Narnia sur son dos. Tordu, il a même fait signer un document à la victime précisant qu'elle lui laissait le choix du dessin. La jeune femme a tout de même porté plainte. Faut voir les réactions à la plage…

Pour rire

Quel est le pire cauchemar d'une chauve-souris ? Avoir la diarrhée pendant son sommeil !

Deux types sont dans une fosse septique avec de la merde jusqu'au nez. L'horreur… Un des deux dit alors à l'autre, désespéré :
— On va mourir !
— Mais non.
— Si, je t'assure : j'ai une horrible envie de chier…

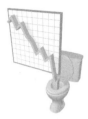

3 ans

Avec 2 500 passages aux toilettes par an à raison de 6 à 8 fois par jour, nous passons 3 ans de notre vie au petit coin ! Et le double pour les malheureux constipés…

Proverbes

Qui tire la chasse, perd sa chiasse.

***

Pet contenu, furoncle au cul.

****

Insolite

Grande taille

Un importateur de W.-C. britannique a eu la brillante idée d'inventer des toilettes XXL pour les fesses très rondes.
Ce nouveau produit offre une largeur de siège supérieure de 13 cm par rapport au siège standard.

Sa solidité accrue lui permet aussi de résister à un poids de 380 kg. Cet accessoire connaît un succès commercial en Grande-Bretagne où l'obésité est de plus en plus répandue. Une invention sponsorisée par les fast-foods ?

Insolite

Joyeuse Saint-Valentin

Curieuse façon de célébrer la Saint-Valentin pour Bruce, un fermier du Minnesota. Avec son tracteur, il a tracé un immense cœur dans son champ enneigé. Particularité de cette marque d'amour visible uniquement depuis le ciel : elle était composée avec les excréments des animaux de la ferme. En tout cas, sa femme a été agréablement surprise, décrivant cette Saint-Valentin comme étant la plus originale de sa vie. Apparemment, quand on vit dans une ferme, faut pas s'attendre à du Cartier ou du Dior…

Contrepet

Et sous Pétain, on se sent déjà en début de crise.

Un cul pète et déjà en dessous on sent des brises !

Pour rire

Un couple est en consultation chez un psy :
— Voilà, dit la femme, nous venons vous voir parce que ça fait plus de deux mois que mon mari se prend pour une scie électrique.
— Pourquoi n'êtes-vous pas venus plus tôt ?
— C'est que mon voisin vient juste de me le rendre.

Ce que le papier toilette nous apprend sur vous :

❶

Vous êtes quelqu'un de raisonnable, logique, organisé,
qui aime que tout soit en ordre.

❷

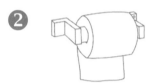

Vous êtes quelqu'un d'enthousiaste, insouciant et d'une grande
spontanéité. Inonscient du danger, vous vous lancez tête baissée.

❸

Imprudent, peu soigneux et paresseux comme tous les hommes !
Une capacité d'attention digne d'un poisson rouge...

❹

Tout le monde vous déteste !

Pour rire

Un vieil homme est sur son lit, attendant la mort qui vraisemblablement ne va pas tarder. Son petit-fils est à son chevet et lui raconte des histoires de son livre d'enfants. Soudain, une délicieuse odeur de tatin envahit la pièce.
— Tu veux bien aller me chercher un petit morceau de tarte, mon petit gars ? demande le grand-père.
— Bien sûr, papy ! Le petit-fils se rend à la cuisine, puis revient vers son grand-père les mains vides en disant :
— Maman a dit que la tarte, c'était pour après l'enterrement...

Pour rire

Un homme se rend chez un psychiatre.
— Docteur, j'ai parfois l'impression d'être un chien.
— Allongez-vous sur le divan et racontez-moi ça !
— Ça ne va pas être possible, docteur. Je n'ai pas le droit de monter sur les divans.

COMMENT APPELLE-T-ON LES HÉMORROÏDES CHEZ LES ESQUIMAUX ? DES POLAROÏDS.

Insolite

Première nécessité

Entre tremblements de terre et tsunami, les Japonais ont l'habitude de faire des stocks en situation de crise. Après le séisme de 2011, les Nippons ont littéralement dévalisé les magasins dans la crainte du pire. Conséquence ? Une totale pénurie de papier toilette. Les entreprises surveillent même étroitement leurs salariés pour éviter le vol de papier. Dans certains magasins, des ménagères se sont même battues pour quelques rouleaux de PQ.

Insolite

Les rois du monde

Si on additionne le poids de tous les vers de la planète, cela dépasse la masse totale des animaux et humains réunis. En effet, ces gringalets représentent près de 80 % de la biomasse animale de la planète. Rien que sur un hectare de prairie normande, les vers sont plusieurs millions ! Heureusement qu'ils sont pacifiques…

Contrepet

C'est le quai Duperré.

C'est les pets de curés !

Pour rire

Un psy demande à un homme la raison de sa venue :
— Je souffre de personnalités multiples.
— Depuis longtemps ?
— Oui, plusieurs années.
— Pourquoi venir seulement maintenant ?
— Parce que les impôts ont envoyé un avis à chacune de mes personnalités !

Pour rire

Un type, qui a des incontinences terribles, va voir un psy sur le conseil de ses amis. Ceux-ci le retrouvent trois mois plus tard et demandent des nouvelles. Le type répond :
— Ça va beaucoup mieux !
Ses amis lui demandent :
— Tu n'as plus de fuites ?
Il répond :
— Si, mais maintenant je m'en fous !

Pour rire

À QUOI RECONNAÎT-ON LE SLIP DE DARK VADOR ?
À SON CÔTÉ OBSCUR.

Insolite
Lumineux

Dans certaines toilettes publiques, comme dans les salles de concerts ou les boîtes de nuit, la lumière utilisée pour l'éclairage est bleue. Ce n'est pas pour donner une ambiance océanique ou romantique, la raison est beaucoup plus terre à terre. En effet, les néons de couleur bleue servent à dissuader les toxicomanes de se piquer dans ces lieux : leurs veines (bleutées) deviennent en effet très difficiles à distinguer sous cette lumière.

Pour rire

Après plusieurs séances très positives, un psy fait le point avec son patient :
— Donc, vous admettez définitivement que vous n'êtes pas Nicolas Sarkozy ?
— Oui, mais comment vais-je l'annoncer à Carla et mes enfants ?

Un fou rencontre un autre fou :
— Je travaille dans une usine maintenant !
— Tiens, moi aussi ! Et tu imites quelle machine, toi ?

Mauvaise vanne

Pendant la Seconde Guerre mondiale, le fonctionnement complexe des W.-C. à bord des sous-marins allemands fut responsable de la perte d'un U-boat. Une mauvaise vanne fut ouverte et provoqua une importante voie d'eau. Le sous-marin réussit tant bien que mal à refaire surface, mais il fut aussitôt achevé par des bombardiers alliés. Mourir à cause d'une vanne, c'est pas drôle…

Insolite
Les verts aux chiottes

Un Coréen qui milite activement contre le gaspillage en eau potable des toilettes s'est offert un joli coup de pub.

Il a fait construire une maison de deux étages en forme de toilettes.

L'habitation comprend quatre toilettes de luxe dont les abattants se lèvent et s'abaissent grâce aux détecteurs automatiques de mouvement. La chasse d'eau est alimentée par de l'eau de pluie récupérée dans un réservoir et les eaux usées sont purifiées par des panneaux solaires. Des W.-C. 100 % écolo c'est possible !

Pour rire

En Afrique, un touriste tombe aux mains de cannibales.
Le chef lui dit :
— Prends ce dé. Si, en le lançant, tu obtiens un, deux, trois, quatre ou cinq, nous te mangeons.
— Et si je fais six ?
— Tu rejoues.

Pour rire

QUELLE EST LA SEULE PARTIE DU LÉGUME QUI NE PASSE PAS À LA MOULINETTE ?
LE FAUTEUIL ROULANT.

Insolite

Transgenre

Pendant la Seconde Guerre mondiale, les services secrets britanniques ont essayé de transformer Hitler… en femme. En glissant à son insu des hormones féminines dans les repas du Führer, les Anglais espéraient calmer son agressivité pour l'affaiblir face à ses généraux. Si cette rumeur est vraie, le plan n'a pas fonctionné. À moins qu'il ne s'agisse d'une transformation en *Walkyrie*…

Pour rire

COMMENT APPELLE-T-ON UN CHAUFFEUR DE CORBILLARD ? UN PILOTE-DÉCÈS.

Pour rire

Deux cannibales courent après Usain Bolt, le recordman du monde du cent mètres. Au bout d'une heure, ils n'arrivent toujours pas à le rattraper et l'un dit à l'autre : — Mince, à quelle heure il va nous faire bouffer, ce con ?

Proverbe

Pour déféquer sans papier, il faut avoir les fesses bien écartées.

* *

Insolite

PUB ChoC Pas ChiC

Pour faire sa promotion, un cabinet londonien, spécialisé dans les affaires de divorce, cible les toilettes avec une campagne d'affichage choc. Dans les toilettes des hommes, on trouve des publicités avec le slogan « *Ditch the bitch !* » (Balance-la, cette salope) qui devient « *All men are bastards !* » (Tous les hommes sont des salauds) dans les toilettes des femmes. À l'indignation des féministes, le responsable de la campagne répondit avec une certaine dose de mauvaise foi : « Il n'y a pas de raison que les femmes soient choquées : elles ne vont pas dans les toilettes pour hommes. » À bon entendeur…

Insolite

Jeunes cochons

Pour lutter contre les rassemblements de jeunes perturbant le voisinage, une commune anglaise a choisi une méthode radicale : les excréments. Après de nombreuses plaintes contre des d'adolescents consommant drogue et alcool sur la voie publique, la mairie a fait élaguer des arbres afin de rendre les jeunes plus visibles, avant de déverser à proximité une épaisse couche d'excréments de cochon. Méthode aussi redoutable qu'efficace !

Contrepet

Pour eux, tu le diras deux fois bien fort, ton *Pater noster* !

Le pétard tout foireux de Nestor pue bien fort, dira-t-on !

Pour rire

Dans un bar, un touriste français discute avec un Américain :
— Avez-vous déjà remarqué que sur les préservatifs il y avait des codes-barres ?
— Non, c'est bizarre, je n'en ai jamais vu.
— Eh bien, c'est parce que vous ne les déroulez pas jusqu'au bout.

Mots entrecroisés

Placez dans la grille, les 15 mots suivants : Autobus, avion, bonheur, bouquet, cruche, escalier, image, jardin, lourde, poireau, pomme, poussette, puceron, salaire, sourire.

Solution page 239.

Insolite

Art laxatif

Une étonnante étude suédoise révèle que contempler des œuvres d'art et en parler sont des remèdes efficaces contre la constipation et l'hypertension. Pendant quatre mois les chercheurs ont organisé des groupes de discussion autour d'œuvres d'art. « Les attitudes des participants sont devenues de plus en plus positives, ils sont devenus plus créatifs, leur pression a baissé (...) et ils se sont mis à utiliser moins de laxatifs », explique une chercheuse. Il ne vous reste plus qu'à acheter un Picasso pour vos toilettes…

Pour rire

Dans des toilettes publiques, un Belge dit à son copain :
— Tiens, regarde ! un mouche à merde !
— Non ! une mouche.
— Tu as de sacrément bons yeux !

Insolite

ASSOiffé

Les New-Yorkais consomment 70 litres d'eau potable par jour : 1 pour boire, le reste pour le confort.

Une femme a été retrouvée morte dans une ruelle. L'enquêteur demande au médecin légiste :
— A-t-on abusé d'elle ?
Le légiste répond :
— Non, pas encore…

***

Deux clochards retirent leurs chaussures en même temps :
— Eh ben, dis donc ! … Tes pieds puent encore plus que les miens !
— Normal, j'suis plus vieux qu'toi.

Insolite

cake

Trois adolescentes américaines ont été arrêtées après avoir cuisiné un gâteau très particulier pour l'anniversaire d'une camarade de classe. Celle-ci a servi des parts à plusieurs personnes de sa famille avant de réaliser que le gâteau avait été fait avec des excréments ! Les trois cuisinières ont été renvoyées de l'école mais également condamnées pour mise en danger de la vie d'autrui, des membres de la famille de la victime étant tombés malades. Crotte alors !

Contrepet

C'est qu'elle, elle s'épila avenue Réaumur !

Nue, elle pissait la raie au mur, quel aveu c'est !

Pour rire

C'est Jo et Dej qui sont au comptoir d'un bistrot.
Jo demande à Dej :
— Combien ça pèse un pet ?
— Rien, répond l'autre, c'est du gaz !
— Oh merde, je crois bien que je viens de chier dans mon pantalon !

Pour rire

Un homme va chez le médecin :
— Je ne comprends pas, docteur, quand je mange des haricots, je chie des haricots. Quand je mange des carottes, je chie des carottes, quand je mange des pommes, je chie des pommes, et ça pour tout ce que je mange. Qu'est-ce que vous pouvez faire pour que je devienne comme tout le monde ?
Le médecin dit, fataliste :
— Bah ! Bouffez de la merde !

Pourquoi, en France, dit-on : « aller aux toilettes », alors qu'en Belgique, on dit : « aller à la toilette ? » Parce qu'en France, il faut en visiter plusieurs avant d'en trouver une propre.

La merde, j'en fais et j'en mange pas. Alors, la politique, c'est pas parce que j'en consomme que je ne dois pas en faire...

Coluche.

Insolite

Chasse gardée

Ras-le-bol des toilettes cra-cra… Les élèves d'une école primaire de Bruxelles ont décidé de prendre le taureau par les cornes en instaurant des « gardiens de la chasse ». Pendant la récréation, deux élèves ont la lourde tâche de faire la police dans les toilettes. Affublés d'un badge et d'une brosse pour le nettoyage des cuvettes, ils distribuent les rouleaux de papier à leurs camarades. Qui est volontaire ?

Contrepet

Et tu sais bien sûr que c'est Miss Poitou !

C'est que tu pisses bien et c'est tout sur moi !

Bon courage les constipés !

Pour rire

Après une soirée bien arrosée, deux femmes doivent faire une grosse commission. En passant devant un cimetière, elles décident d'entrer pour se soulager. La première enlève sa culotte pour s'essuyer avec. La deuxième, qui a des dessous chic, choisit d'utiliser une couronne de fleurs trouvée sur une tombe... Le lendemain, le mari de la première appelle le mari de l'autre :
— On devrait mieux surveiller nos femmes, la mienne est rentrée sans culotte hier.
L'autre répond :
— Tu as raison, la mienne avait une carte entre les fesses sur laquelle c'était écrit : « DE LA PART DE TOUS LES GARS DE LA CASERNE, ON NE T'OUBLIERA JAMAIS. »

Dans un train, un passager demande à un contrôleur :
— Est-ce que je peux fumer dans ce wagon ?
— Non.
— Alors, d'où viennent ces mégots ?
— De ceux qui ne posent pas de questions.

221

Insolite

Cheveux Blancs

Le *syndrome de Marie-Antoinette* est un phénomène surprenant qui blanchit instantanément les cheveux. Ne touchant que les personnes ayant des cheveux poivre et sel, il provoque la chute brutale des cheveux encore pigmentés, ne laissant que les cheveux blancs. Marie Antoinette aurait été atteinte de ce trouble la veille de son exécution. Faut dire qu'à l'idée de perdre la tête, il y a de quoi se faire des cheveux blancs…

Pour rire

C'est un couple de Belges sur la plage en train de se promener. Survient une mouette qui, bien évidemment, chie sur le visage du monsieur. Sa femme dit :
— Ne bouge pas, chéri, je vais aller à la voiture chercher du papier hygiénique !
Et son mari de rétorquer :
— Je crois que ce n'est pas la peine, elle est bien trop loin…

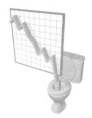

14
fois

Le nombre moyen de pets par jour pour un individu moyen en bonne santé, soit 13 à 15 litres de gaz.

Proverbe

Pour vivre sainement et longuement, il faut donner à son cul vent.

★★

Insolite
Business

La Cour suprême de Caroline du Sud a officiellement interdit la vente d'urine sur Internet. Kenneth Curtis avait en effet créé un business juteux en vendant sur le Net des échantillons d'urine pour 84 euros pièce. Maintenu à bonne température, le produit était garanti sans traces de stupéfiants ou de produits interdits aux sportifs. Et c'est bien ce qui intéressait les clients cherchant à échapper aux tests antidrogue sur leur lieu de travail ou aux tests antidopage pour les sportifs. Curtis s'est défendu en expliquant ne pas être responsable de l'usage que l'on faisait de ces fioles. Sans succès.

Pour rire

Deux Belges marchent dans la rue. Soudain, ils aperçoivent une déjection animale :
— Dis, tu crois que c'est une merde de chien ?
— Je ne sais pas, goûte !
L'autre met son doigt dedans et répond :
— Oui, il me semble bien.
— Attends, je goûte aussi !
Il met lui aussi son doigt dedans et le lèche soigneusement.
— Ouais, ça, c'est bien de la crotte de chien.
— Eh ben, heureusement qu'on n'a pas marché dedans !

Contrepet

C'est Pierre, et il dut serrer les dents.

Et ses pets, il les sent du derrière !

Insolite
TUBE DE l'été

Tout le monde l'attendait, il est enfin arrivé, le papier toilette sans tube ! Le fabricant américain qui vient de lancer sur le marché ce nouveau produit qui va révolutionner le petit monde des toilettes prévient que sans tube cartonné, le rouleau perd un peu de sa rondeur mais reste compatible avec les dérouleurs classiques.

Jouer aux WC

Parmi ces 6 images, deux sont
absolument identiques. Lesquelles ?

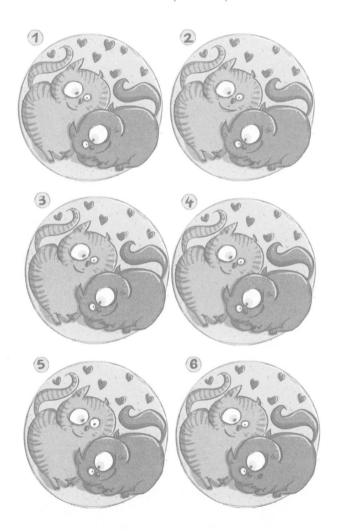

Solution : le 3 et le 4 sont identiques.

Insolite

Pétomane

En Grande-Bretagne, un dentiste a été condamné par la justice pour avoir délibérément pété devant ses patients. Amateur d'un humour douteux, Matthew Walton était déjà connu pour faire des blagues grasses sur sa profession, les handicaps ou la couleur de peau de ses patients. Mais la goutte qui a fait déborder le vase, ce sont les flatulences à répétition qu'il a infligées à ses patients pendant plusieurs années. « L'odeur nous rendait malade. Mais il trouvait ça drôle », témoigne une infirmière. Une diversion pour que les patients oublient leur mal de dent ?

✶✶

300 ml

C'est la quantité d'urine contenue dans la vessie à partir de laquelle se déclenche l'envie de faire pipi.

Pour rire

Un agent de police
arrête une vieille
dame qui conduit
sa voiture :
— Madame, vous avez
dépassé les soixante !
— Vous croyez ?
C'est à cause
de mon nouveau
chapeau. Il me vieillit
terriblement !

POURQUOI UNE
BLONDE PREND DU
PAIN AVEC ELLE
POUR ALLER AUX
TOILETTES ?
POUR DONNER
À MANGER AU
CANARD W.-C. !

Insolite

Ticket gagnant

Pour lutter contre la
prolifération des étrons
canins, Taiwan a trouvé une
solution. Les autorités ont
encouragé les habitants
à ramasser les crottes de
chien dans les rues. Outre
leur civisme, les gens étaient
motivés par la possibilité
d'échanger les excréments
récoltés contre des billets de
loterie, dont le gros lot était
un lingot d'or d'une valeur
de 1 500 euros. 4 000
personnes se sont ainsi
précipitées dans les rues,
armées de leur sac à crotte.
Qui a gagné le gros popo ?

Insolite

Paratonnerre

Roy Sullivan a eu la chance
– ou la malchance ? – de
survivre à sept coups de
foudre. Il aura tout de même
perdu un orteil, eu les sourcils
et les cheveux calcinés, et
a subi des brûlures un peu
partout sur le corps. Il s'est
finalement suicidé à cause
d'un chagrin d'amour. Un
dernier coup de foudre auquel
il n'aura donc pas survécu.

Contrepet

Comme vous êtes
épaulés, ça vous
détend bien.

Comme ça, vous
pétez dans l'eau et
vous êtes bien !

Pour rire

Une dame lit
l'horoscope.
Brusquement, elle
s'écrie :
— Oh, que c'est bête !
— Quoi ? demande
son mari.
— Si tu étais né deux
jours plus tard, tu
serais intelligent,
tendre et spirituel !

20 %

C'est le pourcentage d'Américains qui ont avoué avoir déjà pété dans leurs mains. La moitié d'entre eux considère que c'est un comportement anormal.

Pour rire

QU'ONT EN COMMUN LES HOMMES AVEC LA CUVETTE DES TOILETTES, LES ANNIVERSAIRES ET LE CLITORIS ? ILS LES RATENT TOUS LES TROIS.

Pour rire

Deux employés municipaux effectuent un drôle de manège : le premier creuse de grands trous sur le bord de la chaussée, le second les rebouche quelques minutes après. Un passant, surpris par cette scène étonnante, leur demande :

— Vous pouvez m'expliquer ce que vous êtes en train de faire ?
Celui qui creuse rétorque :
— Ouais, ça peut vous paraître étrange, mais Fernand, celui qui plante les arbres, est malade aujourd'hui.

Pour rire

Un homme achète
un foulard pour
l'anniversaire de sa
femme. À la caisse, il
demande à la vendeuse :
— Serait-il possible
d'avoir un emballage
cadeau, c'est pour offrir.
— Bien sûr, monsieur.
— Pourriez-vous faire
le paquet en fermant
les yeux ?
— Pourquoi donc ?
— Pour faire croire à ma
femme que je l'ai fait
moi-même !

Insolite

Chef-D'œuvre

Trois tableaux, un Van
Gogh, un Picasso et un
Gauguin, volés dans un
musée de Manchester, ont
été retrouvés… dans des
toilettes publiques. La police,
qui était sur les dents après
la disparition de ces œuvres
d'une valeur de 1,5 million
d'euros, a reçu un appel
anonyme signalant un étui
dans lequel étaient enroulées
les peintures.
Un PQ de luxe ?

Le manuel se lave les mains avant d'aller aux toilettes, l'intellectuel c'est après.

Groucho Marx

Labyrinthe

Quelle sortie doit prendre le prisonnier pour s'évader ?

Solutions : la sortie C.

50 %

En Nouvelle-Zélande, où l'élevage est plus développé, c'est le pourcentage de l'effet de serre causé par les flatulences bovines et ovines.

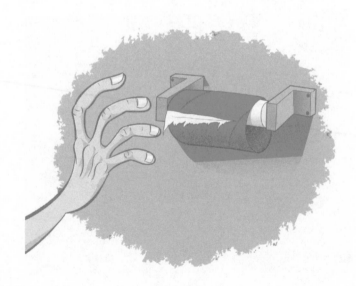

Pour rire

Une petite vieille de 70 ans a une vision. Saint Pierre lui apparaît et lui dit qu'elle a encore trente ans à vivre. Comme elle a encore du temps devant elle, elle décide de tout changer : lifting, nez et poitrine refaits, liposuccion. Après les opérations, elle se balade en ville pour vérifier que les hommes se retournent à nouveau sur son passage, quand elle se fait renverser par une voiture et meurt. Elle arrive alors devant saint Pierre, elle lui dit :
— Mais vous m'aviez dit qu'il me restait encore trente ans à vivre !
— Quoi ? C'est vous ? Je ne vous avais pas reconnue !

✦✦

Insolite

Kit D'urgence

La compagnie néerlandaise des chemins de fer propose dans ses trains sans toilettes des « sacs-pipi » pour permettre aux passagers d'uriner en cas d'urgence. « J'insiste sur le fait que ce serait à utiliser uniquement en cas d'extrême envie, comme par exemple lorsque le train est bloqué » a expliqué un responsable. Les sacs plastique sont distribués par le contrôleur sur la demande des passagers. Ils contiennent une poudre absorbante qui transforme l'urine en gel. Vous avez toujours envie ?

Insolite

Pets de kangourou

Des chercheurs australiens veulent donner aux vaches et aux moutons un intestin de kangourou pour lutter contre le réchauffement climatique. Alors que les flatulences des ovins et bovins produisent énormément de méthane, le pet de kangourou ne dégage pas de gaz nocif à la couche d'ozone, grâce à une bactérie présente dans son tube digestif.

De plus, la bactérie du kangourou évite les ballonnements et facilite la digestion, ce qui permettrait d'économiser des millions de dollars en fourrage.
Et hop !

Contrepet

Il perdait son sang−froid ?

Il sent son pet d'air froid.

Pour rire

À UN REPAS D'ANCIENS COMBATTANTS, UN VÉTÉRAN DIT À SON VOISIN :
— RENÉ, TU TE SOUVIENS DU BROMURE QU'ILS METTAIENT DANS NOTRE VIN, À VERDUN ?
— OUI.
— EH BEN, ÇA COMMENCE À FAIRE EFFET.

Mots à découvrir

Lequel de ces mots figure dans la grille ?
(les lettres doivent simplement être adjacentes)

PIGEONNAT
POIGNANTE
PITONNAGE

O	O	O	T	N	T	I	G	E
A	E	P	G	N	T	N	I	T
N	G	A	O	E	I	I	N	A
O	N	T	E	N	N	I	E	G
E	I	P	E	O	P	A	I	N
G	N	G	P	T	O	A	N	T
G	N	G	P	N	I	A	N	G
O	O	E	O	T	E	A	P	N
T	A	P	P	N	A	N	I	N

Solution page 239.

235

Contrepet

Mais tes pensées l'épataient !

Mes pets sentaient les pâtés.

96

C'est le nombre record de pets sonores produits en une journée.

Pour rire

Le vendredi soir, le directeur d'une entreprise demande à sa secrétaire :
— Dites-moi, qu'est-ce que vous faites dimanche soir ?
— Je n'ai encore rien de prévu, répond la secrétaire. Pourquoi ?
— Parfait ! Comme ça, il n'y a pas de raison pour que vous arriviez en retard lundi matin.

Un employé va voir son directeur :
— Monsieur le directeur, ça fait cinq ans que je travaille chez vous et je n'ai jamais été augmenté. Pourtant, j'effectue le travail de trois personnes.
— Pour l'augmentation, je ne peux rien faire. Par contre, donnez-moi les noms des deux autres personnes, que je les vire.

Insolite

Chic et cher

L'Espadon, un restaurant gastronomique parisien, propose le menu le plus cher de France pour le Nouvel An : 2 013 €. Le prix correspond à l'année fêtée, augmentant donc de 1 euro chaque année. Pour ce prix, on se régale : vins d'exception, caviar Beluga, homard et truffes… Bonne année !

Pour rire

Après la bataille de Waterloo, Napoléon va dans un bar et dit au barman :
— Nous sommes vaincus.
Le barman lui répond :
— Désolé, mais nous n'avons que dix-neuf chaises !

Pour rire

Un Afro-Américain perdu dans le désert trouva un jour une lampe magique. Il la frotta et un génie lui dit : « Comme tu m'as libéré, tu as le droit à trois vœux. » L'homme réfléchit et demanda à avoir de l'eau, à être blanc et pouvoir voir de belles paires de fesses. Le génie le transforma donc en toilettes publiques en plein milieu de New York.

***

CHUCK NORRIS NE PISSE PAS : IL FAIT LA PLUIE ET LE BEAU TEMPS.

Les solutions des jeux

T¹	R²	I³

(pyramide de mots)

T	R	I
R	I	T	E		E
T	R	I	E	R		R
R	E	P	R	I	T		P
E	T	R	I	P	E	R		E
T	R	E	P	I	D	E	R		D
P	E	T	A	R	D	I	E	R	A

U	U	E	C	E	C	S	I	C
S	R	C	I	C	S	U	R	E
S	S	U	S	R	R	R	S	R
R	C	S	R	I	R	U	S	R
C	S	S	R	I	R	S	U	R
E	R	I	E	E	R	E	E	E
S	I	C	E	C	I	S	E	E
E	U	E	S	I	S	U	E	S
E	E	E	R	S	U	I	R	R

C'est le mot SUCRIERES qui
est présent dans la grille.

		¹B		²P	U	C	E	R	O	N
³A	V	I	O	N						
		U			⁴I	M	A	G	⁵E	
		Q			R				S	
		U			E				C		⁶P
⁷S		E			A				A		O
⁸A	U	T	O	⁹B	U	S			L		U
	L			O					I		S
¹⁰J	A	R	D	I	N		¹¹P		E		S
	I			H		¹²L	O	U	R	D	E
¹³C	R	U	C	H	E		M				T
	E			U			M				T
		¹⁴O	U	R	I	R	E				E

O	O	O	T	N	T	I	G	E
A	E	P	G	N	T	N	I	T
N	G	A	O	E	I	I	N	A
O	N	T	E	N	N	I	E	G
E	I	P	E	O	P	A	I	N
G	N	G	P	T	O	A	N	T
G	N	G	P	N	I	A	N	G
O	O	E	O	T	E	A	P	N
T	A	P	P	N	A	N	I	N

C'est le mot PIGEONNAT qui
est présent dans la grille.

Dans la collection Humour

L'intégrale des Contrepèteries

1500 contrepets inédits anagrammatiques, à tiroir, classiques et de salon. De joyeuses et vertes combinaisons !

L'intégrale de l'humour 2012

On peut rire de tout ! La preuve avec cette véritable encyclopédie qui recense et sélectionne les 2012 meilleures histoires drôles.

Les Perles de l'école

Ce ne sont pas des perles de culture, mais… d'inculture ! Les élèves méritent peut-être un zéro pointé en matière de connaissances, mais leurs copies valent parfois 20 sur 20 en matière d'humour

Les Perles de la politique

Erreurs, lapsus et autres petites méchancetés : quand leur langue fourche, que les mots dépassent leur pensée ou qu'ils perdent les pédales et s'énervent, cela donne des phrases d'anthologie.

www.city-editions.com